강력한 인하대 인문계 논술

기출문제

저자 소개

저자 김근현은 현재 탁트인 교육, 일으킨 바람, 에듀코어 대표이다.
前 메가스터디 온라인에서 대입 논술과 면접, 자기소개서, 학생부종합 등 다양한 동영상 강의를 하였다.
현재는 학습 프로그램 개발 및 연구 활동을 통해 교육의 발전을 고민하고 있다.
홍익대학교에서 전자전기공학부를 졸업하고 동대학원에서 전자공학 석사(반도체 레이저)를 전공하였다. 또한 연세대학교 교육경영최고위자 과정을 마쳤으며 연세대학교 교육대학원에서 평생교육 경영을 공부하고 있다.

강력한 인하대 인문계 논술 기출 문제

발   행 | 2023년 08월 04일
개정판 | 2024년 06월 17일
저   자 | 김근현
펴낸이 | 김근현
펴낸곳 | 일으킨 바람
출판사등록 | 2018.11.12.(제2018-000186호)
주   소 | 경기도 고양시 일산서구 하이파크 3로 61 409동 1503호
전   화 | 031-713-7925
이메일 | illeukinbaram@gmail.com

ISBN | 979-11-93208-65-6

www.iluekinbaram.com
ⓒ 김 근 현 2023

강력한

인하대 인문계

논술 기출문제

김 근 현 지음

차례

머리말

책을 쓰기 위해 책상에 앉으면 아쉬움과 안타까움, 나의 게으름에 늘 한숨을 먼저 쉰다.
왜 지금 쓸까?
왜 지금에서야 이 내용을 쓸까?
왜 지금까지 뭐했니?
스스로 자책을 한다.

또 애절함도 함께 느낀다.
시험이 코앞에서야 급한 마음에 달려오는
수험생들에게 왜 미리 제대로 준비된 걸 챙겨주지 못했을까?
그렇게 하루, 한 달, 일 년 그렇게 몇 해가 지나 이제야 조금 마음의 짐을 내려놓는다.

입에 단내 가득하도록 학생들에게 강의를 했고,
코앞에 다가온 연속된 수험생의 긴장감을 함께하다보면
그렇게 바쁘게 초조하게 지냈던 것 같다.

그렇게 함께했던 시간을 알기에
부족하겠지만
부디 이 책으로 수험생들이 부족한 일부를 채울 수 있고,
한 걸음이라도 희망하는 꿈을 향해 다갈 수 있길 간절히 바래 본다.

김 근 현

I. 인하대학교 논술 전형 분석

1. 논술 전형 분석

1) 전형 요소별 반영 비율

구분	논술		학생부		총 비율	
	70%		30%		100%	
일괄합산					총점	
	최고점	최저점	최고점	최저점	최고점	최저점
	700	250	300	100	1000	350

전형요소 산출방법
① 논술 : 논술 반영점수 × 4.5 + 기본점수(250점)
② 학생부 교과 : 학생부교과 반영점수 × 2 + 기본점수 (100점)
학생부 없는 자 학생부종합평가 반영방법
대 상 : 2022년 2월 이전 졸업자(2022년 2월 졸업자 포함) 또는 학생부 성적을 산출할 수 없는 자(검정고시 출신자, 외국고교 졸업자 등)
반영방법 : 논술고사 성적에 의한 비교 학생부종합평가 성적을 산출함

2) 학생부 교과 반영 방법

계열	반영교과	반영방법	비고
인문	국어, 영어, 수학, 사회	석차등급의 환산점수를 산출하여 반영	학년별, 과목별 가중치 없음 전 학년 100%

※ 진로선택과목은 전형별, 계열별 반영교과에 해당하는 과목의 성취도를 등급으로 변환하여 상위 3개 과목 반영(A=1등급, B=2등급, C=4등급)

3) 학생부 교과 등급별 환산점수

전형명		등급								
		1	2	3	4	5	6	7	8	9
논술	논술우수자	10	9.6	9.5	9.5	9.4	9.4	7.2	3.6	0.0

※ 2등급에서 6등급까지 점수의 폭이 좁아 학생부의 영향이 적고 논술에 의한 영향이 커졌다.

4) 수능 최저학력 기준

· **없음 (단, 의예과 제외)**

(의예과 : 국어, 수학, 영어, 사회/과학탐구(2과목) 중 3개 영역 각 1등급 이내))

5) 2023학년도 (논술우수자전형) 결과

문제 유형	모집인원	지원인원	경쟁률	실질 경쟁률	내신등급 평균	논술점수 평균
인문	163명	4,544명	27.9	20.8	4.7	80.9

모집단위	모집인원 (명)	경쟁률	실질 경쟁률	최초 합격자 등록률	추가 합격자 예비번호	내신등급		논술점수
						평균	최저	평균
경영학과	25	34.6	24.2	96.0%	0.0	5	8.1	78.50
글로벌금융학과(인문)	7	25.9	18.9	71.4%	2.0	4	4.6	85.07
아태물류학부(인문)	15	27.8	21.7	1.0	0.0	5	5.6	85.80
국제통상학과	13	25.9	20.9	92.3%	1.0	5	5.9	86.62
국어교육과	4	26.0	19.8	1.0	0.0	4	5.2	77.00
사회교육과	4	29.3	20.3	75.0%	1.0	4	5.5	84.88
행정학과	12	25.8	20.1	91.7%	1.0	5	5.6	80.75
정치외교학과	9	25.0	18.9	77.8%	2.0	5	5.6	85.44
미디어커뮤니케이션학과	8	34.8	25.1	1.0	0.0	4	4.7	69.81
경제학과	11	25.3	16.9	1.0	0.0	5	6.7	80.32
사회복지학과	3	25.0	18.3	1.0	0.0	6	6.5	85.00
한국어문학과	6	25.2	18.0	1.0	0.0	5	5.1	66.75
사학과	5	22.4	16.6	1.0	0.0	5	5.6	79.70
철학과	5	21.2	15.8	60.0%	2.0	6	7.5	85.00
중국학과	7	23.0	19.1	1.0	0.0	5	6.2	80.86
일본언어문화학과	8	25.5	21.0	75.0%	2.0	5	6.6	77.81
영어영문학과	10	27.7	21.4	1.0	0.0	5	6.3	82.25
문화콘텐츠문화경영학과	11	31.5	23.6	1.0	0.0	5	5.8	81.77

6) 2022학년도 (논술우수자전형) 결과

문제 유형	모집인원	지원인원	경쟁률	실질 경쟁률	내신등급 평균	논술점수 평균
인문	175	4,514	25.8	20.7	83.88	4.58

모집단위	모집인원 (명)	경쟁률	실질 경쟁률	최초 합격자 등록률	추가 합격자 예비번호	내신등급		논술점수
						평균	최저	평균
경영학과	27	31.5	24.8	85.2%	4	87.54	4.49	6.02
글로벌금융학과(인문)	6	22.2	15.7	100.0%	0	81.33	5.11	6.16
아태물류학부(인문)	16	25.4	21.3	87.5%	2	84.72	4.69	6.45
국제통상학과	14	27.6	24.0	100.0%	0	85.50	4.72	5.54
국어교육과	5	21.6	16.4	100.0%	0	82.80	4.13	4.60
사회교육과	5	25.0	20.6	80.0%	1	82.00	4.29	5.48
행정학과	14	24.2	19.8	85.7%	2	86.61	4.51	5.26
정치외교학과	10	22.4	17.7	90.0%	1	88.15	4.30	5.62
미디어커뮤니케이션학과	12	30.7	24.8	91.7%	1	84.13	4.39	4.90
경제학과	10	23.7	18.2	90.0%	1	87.15	4.78	5.57
한국어문학과	6	22.2	17.5	100.0%	0	81.08	4.51	5.71
사학과	5	21.8	17.2	100.0%	0	76.20	4.20	5.41
철학과	5	23.0	16.6	60.0%	2	88.50	4.88	5.89
중국학과	6	21.8	16.8	100.0%	0	84.75	5.64	6.58
일본언어문화학과	11	22.0	18.7	81.8%	2	76.64	4.97	5.94
영어영문학과	11	23.5	17.8	100.0%	0	79.00	4.33	6.52
문화콘텐츠문화경영학과	12	28.9	23.4	91.7%	1	78.79	4.21	5.41

7) 2021학년도 (논술우수자전형) 결과

문제 유형	모집인원	지원인원	경쟁률	실질 경쟁률	내신등급 평균	논술점수 평균
인문	205	6,927	33.8	26.1	4.38	6.56

모집단위	모집인원 (명)	경쟁률	실질 경쟁률	최초 합격자 등록률	추가 합격자 예비번호	내신등급		논술점수
						평균	최저	평균
경영학과	36	36.3	27.3	86.1%	4	86.69	83.00	4.40
글로벌금융학과(인문)	2	31.0	21.5	100.0%	0	84.25	78.50	5.68
아태물류학부(인문)	23	33.4	26.0	87.0%	3	87.72	83.50	4.05
국제통상학과	18	30.3	24.2	83.3%	3	71.78	65.50	4.50
국어교육과	5	31.8	23.8	80.0%	1	90.80	89.50	3.54
사회교육과	3	31.3	22.7	66.7%	1	86.67	84.00	5.76
행정학과	12	34.0	26.1	75.0%	3	85.00	81.00	4.70
정치외교학과	7	31.3	25.6	100.0%	0	81.64	78.00	4.49
미디어커뮤니케이션학과	12	39.0	29.6	91.7%	1	90.00	88.50	4.30
경제학과	17	30.8	22.7	82.4%	4	82.44	79.00	4.60
한국어문학과	8	29.4	24.5	75.0%	2	78.06	71.00	4.51
사학과	9	28.1	23.0	77.8%	1	87.50	82.50	4.00
철학과	5	27.6	20.6	100.0%	0	88.20	83.50	3.86
중국학과	4	27.0	20.5	75.0%	1	74.50	71.00	4.78
일본언어문화학과	12	30.8	26.3	83.3%	2	80.58	75.50	4.39
영어영문학과	9	29.8	23.7	88.9%	1	86.39	83.00	4.56
문화콘텐츠문화경영학과	10	36.3	28.1	90.0%	1	79.85	76.00	4.31
간호학과(인문)	13	49.2	37.2	76.9%	3	85.31	81.50	4.22

2. 논술 분석

구분	인문계열	
출제 근거	고교 교육과정 내 출제	
출제 범위	국어 교과	국어, 화법과 작문, 독서, 언어와 매체, 문학
	사회(역사/도덕 포함) 한국사	통합사회, 한국지리, 세계지리, 세계사, 동아시아사, 경제, 정치와 법, 사회·문화, 생활과 윤리, 윤리와 사상, 한국사
논술유형	언어논술(인문학 + 사회과학)	
문항 수	2문항	
답안지 형식	문항별 지정된 답란에 작성	
	원고지 형식의 답안지	
고사 시간	120분	
준비물	필기도구 • 흑색 필기구(볼펜, 연필, 샤프 등)만 사용 가능, • 수성 사인펜 등 번지는 필기구 사용 불가 • 수정테이프, 지우개 사용 가능 • 수험표 및 사진이 부착된 신분증 (주민등록증, 운전면허증, 여권, 학생증(사진이 부착된 학생증에 한함), 지방자치단체장 발행 청소년증, 장애인등록증)	

1) 출제 구분 : 계열 구분

2) 출제 유형 :

계 열	평가유형	문항 수	출제범위	시간
인문	인문논술	2문항 (자)	고교 교육과정 내 출제 (인문학+사회과학)	120분

3) 출제 방향 :

제시문에 나타난 주장과 근거를 활용하여 자신만의 종합적 의견과 정합적인 방식으로 결론을 도출하는 과정을 통해 지원자의 창의적 적용 능력과 분석적 사고 능력을 평가하는 통합논술. 다양한 주제들을 활용하여 인문·사회과학적 사고력을 종합적으로 평가함

4) 논술 평가 :

1. 문항별 채점 기준 사례 (2024학년도 모의논술)

[문항 1] 채점기준

평가항목	채점기준		배점
	제시문 (가) ~ (마)를 활용하여 자신이 선택한 주장을 정당화		
	찬성	반대	
예술에 대한 두 가지 관점 요약	•예술 작품의 판단 기준 1 · 예술이란 예술가의 독창적인 창조활동의 산물 · 예술가의 체험과 감정을 미적형식으로 표현 •예술 작품의 판단 기준 2 · 예술가의 의도보다는 수용자의 입장이 중요함 · 예술적 가치는 예술계 집단의 판단에 의해 결정		15점
제시문 (나) ~ (마)를 활용한 찬성 또는 반대 입장 정당화	•예술 작품의 판단 기준 2를 선택 · (다)의 논거: 예술적 가치를 시장과 전문가 집단이 수용한 경우 · (라)의 논거: 예술 평가기준은 기술 발전에 의해서 변화 가능	•예술 작품의 판단 기준 1을 선택 · (나)의 논거: 예술은 인간의 고유한 창조적 노동의 산물 · (마)의 논거: 예술에는 예술가의 고통, 상실, 분노 등이 승화된 심미적 체험이 재현되어야 함	15점
주장 논거에 대한 예상 반박	· (나)의 논거: 예술은 인간의 고유한 창조적 노동의 산물 · (마)의 논거: 예술에는 예술가의 고통, 상실, 분노 등이 승화된 심미적 체험이 재현되어야 함	· (다)의 논거: 예술적 가치를 시장과 전문가 집단이 수용한 경우 · (라)의 논거: 예술 평가기준은 기술 발전에 의해서 변화 가능	15점
반박에 대한 재반박	· 인공지능에 의한 창작과정에도 인간 작가에 대한 정신노동이 포함됨 · 인공지능이 만든 작품에서도 고통을 미학적으로 승화시킨 노력이 포함됨	· 인공지능 저작물은 미적으로 훌륭해도 삶의 진실한 재현이 아님 · 감상자가 예술가의 인간적 고통에 공감하는 체험을 하기 어려움	10점
글의 논리성	•글 전체가 일관성을 유지하고, 논리적으로 잘 연결되고 설득력이 있음		5
점수			60점

평가 항목	내용(안)	배점
[자료 1] ~ [자료 3] 해석	•[자료 1]의 분석과 해석 (10점) 　· 직업군별로 저학력 보유자의 비율이 다르나, A, C군과 B, D군은 유사함 　· 직업군별로 1인당 월평균 임금이 다르나, A, C군과 B, D군은 유사함 　· A, C군은 저학력 보유자 비율이 낮고, B, D군은 높음 　· A, C군은 1인당 월평균 임금이 높고, B, D군은 낮음 •[자료 2]의 분석과 해석 (10점) 　· AI 도입에 따라 A, C 직업군은 실질임금이 상승하고, B, D 직업군은 하락 　· 실질임금 상승폭은 학력이 높을수록, 실질임금 하락폭은 학력이 낮을수록 더 커짐 　· A, C 직업군과 B, D 직업군의 비대칭적 저학력 보유자 비율은 A, C 직업군과 B, D 직업군 간 임금 격차를 심화시킴 •[자료 3]의 분석과 해석 (10점) 　· 순증가율은 증가율에서 감소율의 절대값을 뺀 수치로 해석 가능 　· A, C 직업군에서는 순증가율이 정(+)의 값을 가져서 일자리가 증가하고, B, D 직업군에서는 순증가율이 부(-)의 값을 가져서 일자리가 감소할 것으로 예상 가능 •개선방안 (10점) 　· 재교육을 통해 일자리 순 증가율이 높은 직업군으로의 재취업 교육 지원 　· 세금을 통한 소득 재분배 달성	40점
총점		**40점**

2, 형식적 감점 요소

[형식 요소] **다음에 해당하는 경우, 각 항목별 5점 이내 감점(-)** 　■ 쓸데없는 서론 혹은 결론을 부연함 　■ 제시문에 나와 있는 문장을 원래의 완전한 문장 형태를 유지한 채 그대로 옮겨 적음 　■ 원고지 작성법, 맞춤법, 띄어쓰기 등의 오류, 부적절하거나 부정확한 어휘나 문장 등의 문제가 전반적으로 심각함	※ 1번 문항과 2번 문항 각각 (-)15점 이상 감점할 수 없음
[분량] **기준 분량을 어긴 경우(미달 또는 초과) 아래의 표에 따라 점수 조정**	(-)10점까지

1번	340자 미만 (결시 아닌 백지 포함)	(답안 내용에 관계없이) 0점 부여
	340자 - 439자	10점 감점(-)
	440자 - 539자	5점 감점(-)
	540자 - 660자	감점 없음
	660자 초과	5점 감점(-)
2번	500자 미만 (결시 아닌 백지 포함)	(답안 내용에 관계없이) 0점 부여
	500자 - 699자	10점 감점(-)
	700자 - 899자	5점 감점(-)
	900자 - 1,100자	감점 없음
	1,100자 초과	5점 감점(-)

3. 출제 문항 수

● 인문논술 **2문항** (1000자 ± 100자 : 60점, 600자 ± 60자 : 40점)

4. 시험 시간

· **120분**

5. 논술 유의사항

1. 시험시간은 120분, 배점은 [문항 1]이 60점, [문항 2]가 40점입니다.
2. 답안을 구상할 때 문제지의 여백이나 문제지 내의 연습장을 사용하시오.
3. 답안을 작성할 때 반드시 흑색 필기구만 사용하시오(연필·샤프 사용 가능, 사인펜 불가).
4. 답안을 정정할 때 원고지 사용법에 따르시오(수정 테이프·지우개 사용 가능, 수정액 불가).
5. 답안은 반드시 해당 문항의 답란에 작성하고, 답란 밖에는 작성하지 마시오.
※ 답안지는 절대 교체할 수 없습니다.

6. 답안 작성시 유의사항

1. 제목은 쓰지 마시오.
2. 제시된 분량을 지키시오.
3. 제시문의 문장을 그대로 옮기지 마시오.
4. 각 문항에 제시된 조건을 고려하여 쓰시오.
5. 서론과 결론은 쓰지 말고 본론에 해당하는 부분만 작성하시오.
6. 수험번호, 성명 등 신상에 관련된 사항을 답란이나 답안지의 여백에 드러내지 마시오.

II. 기출문제 분석

1. 출제 경향

학년도	교과목	주제
2024	국어, 화법과 작문, 독서, 통합사회, 생활과 윤리, 윤리와 사상, 정치와 법, 경제	자유의지, 책임, 자유주의, 규범적 책임론, 사회적 책임, 기능주의적 책임, 윤리, 법
2023	사회·문화, 생활과 윤리, 경제, 세계사, 정치와 법, 문학	차등적 징세를 통한 직접적 결혼·출산 지원 정책(찬성 / 반대)
2022	생활과 윤리, 윤리와 사상, 통합사회, 경제, 정치와 법, 사회·문화, 세계사	능력주의(찬성 / 반대)
2021	생활과 윤리, 윤리와 사상, 통합사회, 경제, 정치와 법, 사회·문화	기본소득 제도 도입(찬성 / 반대)
2020	생활과 윤리, 사회·문화, 법과 정치	SNS 확산이 시민의 정치참여에 미치는 영향(기여 / 저해)
2019	생활과 윤리, 윤리와 사상, 사회, 경제	중앙도서관 이용 방침(학생 전용 / 시민 개방형)
2019	윤리와 사상, 사회, 경제, 법과 정치	남북통일 자판 문제(표준화 / 자율화)
2019	사회, 경제, 사회·문화	노동문제와 임금격차
2019	사회, 경제	게임시장 및 게임산업
2018	생활과 윤리, 윤리와 사상	과학기술에 대한 입장(가치중립적 / 윤리적)
2018	생활과 윤리, 사회, 사회·문화	국민 정체성 수립 정책방향(용광로 이론 / 샐러드 접시 이론)
2018	경제	국민 경제 순환, 정부의 역할과 의사결정, 소득 재분배
2018	사회	고령화 원인 및 문제점
2017	생활과 윤리, 사회, 사회·문화	노인 부양(사회 중심 / 가족 중심)
2017	법과 정치, 사회, 윤리와 사상	투표 시 선택(청년의 당 / 모두의 당)
2017	사회, 경제	가계 부채 현황
2017	사회·문화, 사회	국민건강 현황 – 비만 현황

2. 출제 의도

기출 연도	출제 의도
2024학년도 수시 논술	● 첫 번째 논제는 책임에 대한 두 가지 입장, 즉 인간이 자신의 행동을 자유롭게 결정할 수 있는 자유의지가 있다는 점을 전제로 하는 '규범적 책임론'과, 인간의 자유의지와 관계없이 사회질서 유지라는 목적에 중점을 두고 책임의 근거를 설명하는 '사회적·기능론적 책임론' 가운데 하나를 선택하여 한 입장에 의거해 '인간의 자유의지가 행위에 대한 책임을 물을 수 있는 근거인가, 아닌가'를 논하는 것이다. 글 자료는 두 관점을 정당화하거나 반박하는데 필요한 논거를 제공하는 지문으로 구성하였다. 인간이 가진 1차적·2차적 욕구, 자유의지를 근거로 수립된 현실 법제도의 구체적 판례, 자유의지를 부정하는 진화론과 생명공학의 견해, 자유의지의 존재 여부와 관계없는 사회적 책임론의 필요 등에 관련된 제시문을 제공하여 자신의 주장을 정당화하거나 반론하는데 논거로 삼도록 하였다.
	● 두 번째 논제는 경제·사회·문화·환경적인 측면에서 한 나라의 발전 방향을 합리성에 기반하여 선택하고, 주어진 자료를 활용·분석하여 이 선택의 이유를 설명한 뒤 예상되는 문제점과 그 해결방안을 제시하는 문제이다. 이 논제를 위해 명목 1인당 GDP, 산업 비중, 온실가스 배출량, 소득의 격차와 그에 따른 삶의 만족도, 출산장려책과 이민정책에 따른 노년부양비와 사회갈등지수의 변동 등의 자료를 제시하여 선택 모델의 장단점을 분석하고 그에 적합한 해결방안을 찾도록 하였다.
2024학년도 모의 논술	● 첫 번째는 예술에 관한 두 가지 입장, 즉 예술가 중심 입장과 수용자 중심 입장을 설명하고, 그 중 한 입장에 의거하여 인공지능이 만들 저작물을 예술로 인정할 수 있는지를 논하는 것이다. 글 자료는 두 관점을 정당화하거나 반박하는데 필요한 논거를 제공하는 지문으로 구성하였다. 예술의 판단기준, 예술창작에서 예술가의 경험의 중요성과 예술가의 직접적인 창조적 노동의 중요성, 기술의 발전에 따른 예술 관념의 변화, 예술에 있어서 수용자(비평가 및 감상자)의 역할 등에 관련된 제시문을 제공하여 자신의 주장을 정당화하거나 반론하는데 논거로 삼도록 하였다.
	● 두 번째 논제는 기술혁신과 임금의 관계에 대한 한 입장, 즉 기술혁신이 향후 모든 사회 계층에서 임금 상승에 기여할 것이라는 주장에 대해 주어진 자료를 활용하여 반박하고, 아울러 자료에 나타난 사회적 문제점을 파악하고 해결책을 제시하는 문제이다. 이 논제를 위해 인공지능(AI)의 도입이전과 이후 직군별 노동자의 학

기출 연도	출제 의도
	력 분포와 임금의 차이, 일자리 변동 등 데이터 자료를 제시하여 기술혁신이 전반적인 임금 상승을 이끈다는 주장을 반박하고, 자료에 나타난 사회적 문제를 해결할 수 있는 방안을 찾도록 하였다.
2023학년도 수시 논술	● 논제는 '인하국'이라는 가상의 국가의 저출산 문제를 해결하기 위해 결혼·출산에 대한 직접적인 지원을 계획하고, 그 재원을 독신 가구와 자녀가 있는 혼인 가구 간의 차등적 징세를 통해 마련하려는 방안에 대한 찬반의 입장을 묻고 있다. 저출산 문제는 많은 국가들이 직면하고 있는 인구문제로서 현대사회의 쟁점일 뿐 아니라 고등학교 교과과정에서도 중요하게 다루고 있는 주제이다. 문제해결을 위한 방안을 지원 방법과 조세 징수 방법 두 측면에서 접근하고 있으며, 지원방법으로는 결혼·출산에 대한 직접적인 지원과 간접적인 지원을, 조세 징수 방법은 독신 가구와 자녀가 있는 가구 사이의 차등적인 징세와 비차등적인 징세를 상정하였다. 논제에 대한 <제시문>의 논거는 국가가 결혼·출산 문제에 개입하는 것의 정당성 또는 필요성 여부와 지원 방법의 정당성 여부, 지원을 통한 실질적인 효과로 구성되어 있다. ● 구체적으로 결혼을 통해 형성되는 가정의 역할의 중요성에 대한 판단, 차등적 징세로 인구문제를 해결하려는 방법의 정당성과 필요성에 관한 판단, 결혼·출산에 대한 직접적 지원의 효과에 대한 판단을 위한 자료를 제시하여 찬반의 논거로 삼도록 하였다. 또 출산 지원을 위한 재정지출의 효과, 2자녀 외벌이 가구와 무자녀 독신 가구 간의 차등 징수가 출생률에 미치는 영향, 인구감소를 인위적인 정책으로 해결 가능한가에 관한 실험자료, 결혼장려금 지급 여부가 출산율과 경제성장에 미치는 영향에 관한 자료를 제시하여 논제에 대한 찬성 혹은 반대하는 입장을 정당화하는 근거로 삼도록 하였다.
2023학년도 모의 논술	● 논제는 국제질서를 설명하는 국제정치학의 현실주의 관점과 자유주의 관점 중 어느 것이 설득력이 있는지를 선택하는 것이다. 글자료는 두 관점을 정당화하거나 반박하는데 필요한 논거를 제공하는 지문으로 구성하였다. 현실주의와 자유주의의 기본 논리, 국제기구의 성격과 역할, 인간의 본성과 그것이 사회와 국제질서에 미치는 영향, 세계시민의식과 국가정체성의 중요성 등에 관한 제시문을 제공하여 자신의 주장을 정당화하거나 반론 하는데 논거로 삼도록 하였다. 또 자유무역협정 체계에 따른 각국의 득실비교, 기업 운영 중 회의 방식이 부가 가치 생산에 미치는 영향, 외

기출 연도	출제 의도
	부 위협에 대항함에 있어 군락의 크기가 미치는 영향, 소비자 효용 증대와 무역의 관계 등 데이터 자료를 제시하여 문항1에서 선택한 자신의 주장을 정당화하는 근거로 삼도록 하였다.
2022학년도 수시 논술	● 논제는 능력주의(meritocracy)에 대한 찬반 입장 선택에 관한 것이다. 글 자료는 자신이 선택한 주장을 정당화하거나 반박하는데 필요한 지문으로 구성하였다. 다양한 능력을 측정·비교하는 데 능력주의가 지닌 한계, 정당한 방법을 통해 자신의 능력으로 취득한 지위와 소유물에 대한 권리, 한정된 재화를 유능한 인재에 집중한 효과, 개인주의가 공동체 발전에 미친 부정적 영향, 문화자본의 차이가 개인의 능력에 미친 영향, 17세기 스페인 신분사회의 폐쇄성과 폭력성과 관련된 지문을 제시하여 자신의 선택을 정당화하거나 반론을 쓰는 데 어려움이 없도록 하였다. 데이터 자료는 공공기관 부문, 사회 양극화, 교육 부문, 기업 부문에 능력주의가 미친 영향 데이터를 제시한 후 자신의 주장을 뒷받침하는 자료를 선택하여 선택한 자료를 해석하고 이를 토대로 자신의 주장을 정당화하는 데 활용할 수 있도록 하였다.
2022학년도 모의 논술	● 백신 국가주의 찬반 논의는 고등학교 사회·문화, 『생활과 윤리』, 『윤리와 사상』, 『정치와 법』과 같은 과목에서 중요하게 다룬 '국가의 역할과 합리적 선택'에 관한 것이다. 자료는 전염병 팬데믹 상황을 효과적으로 관리하기 위해 백신 국가주의 찬성과 반대 중 어떤 선택이 바람직한지에 대한 토론 상황에서 자신의 생각을 제시하고 정당화하는데 필요한 글 자료와 통계 자료로 구성되었다. 국민의 건강을 지키기 위한 국가의 역할과 기술 혁신을 촉진하기 위한 지적 재산권 보호를 강조하는 백신 국가주의 찬성 논리와 국가를 초월한 보편적 인권 보호와 지적재신권 보호가 사회적 약자의 건강권을 침해할 수 있다는 백신 국가주의 반대 논리를 추론할 수 있는 글 자료를 균형 있게 제시하였다. 그리고 통계 자료는 백신 국가주의를 찬성 혹은 반대하는 표와 그림 자료를 제시함으로써 수험생이 이를 활용하여 자신의 선택을 정당화하거나 반론을 쓰는 데 어려움이 없도록 하였다.
2021학년도 수시 논술	● 논제는 기본소득(basic income) 제도의 도입 여부에 대한 찬반 입장 선택에 관한 것이다. 글 자료는 선택의 합리성을 정당화하거나 반박하도록 공유재에 대한 공동 권리, 무보수 노동에 대한 사회적 가치 인정과 보상, 소비 확대를 통한 유효수요 창출, 사회적 약자를 우선 고려하는 사회권, 노동에 의한 사적 재산권의 정당성, 근로 의욕 약화로 인한 노동공급 감소와 관련된 지문을 제시함으로써, 수험생이 글 자료를 활용하여 자신의 선택을 정당화하

기출 연도	출제 의도
	거나 반론을 쓰는데 어려움이 없도록 하였다. 데이터 자료는 가상의 국가인 '갑(甲)국'에서 거론되고 있는 복지정책안을 정책 시행 5년 후의 성과를 기준으로 평가하도록 하였다. 이를 위해 세 종류의 데이터를 제시한 후 성과가 우수한 정책안을 선택하고, 자신의 주장을 정당화하는 데 활용할 수 있도록 하였다.
2021학년도 모의 논술	● 논제는 고등학교 『정치와 법』, 『통합사회』, 『윤리와 사상』과 같은 과목에서 중요하게 다룬 '대의 민주주의에서의 책임성과 대표성'이다. 자료는 대의민주주의가 효과적으로 작동하기 위해 다수대표제(지역구 소선거구제)와 비례대표제(전국구 대선거구제) 중 어떤 선거제도가 바람직한지에 대한 토론 상황에서 자신의 생각을 제시하고 정당화하는데 필요한 통계 자료와 글 자료로 구성되었다. 통계 자료는 가상의 A, B, C, D 네 국가에 대한 정보와 각 국의 대의민주주의의 '대표성'과 '책임성' 수준을 측정할 수 있는 표와 그래프 자료다. 그리고 책임성을 강조하는 다수대표제, 대표성을 강조하는 비례대표제의 긍정적 측면을 추론할 수 있는 글 자료를 균형 있게 제시하였다.
2020학년도 수시 논술	● 논제는 고등학교 사회 , 사회·문화 , 생활과 윤리 , 법과 정치 와 같은 과목에서 많이 다룬 'SNS(Social Network Service)의 확산이 사회에 미친 영향'이다. 통계 자료는 SNS의 확산이 사회 참여와 합의 도출에 미친 긍정적 효과와 부정적 효과를 나타내는 자료와 사회적 자본의 성격에 따라 SNS 영향이 어떻게 달라질 수 있는지를 보여주는 자료로 구성되었다. 사회적 자본에 대한 글 자료도 제시하여 지식 이해보다 자료 분석 및 해석 능력을 평가하는데 초점을 두었다. 그리고 SNS 확산의 긍정적 효과 혹은 부정적 효과에 대한 논리를 제공할 수 있도록 SNS의 네트워크와 알고리즘 특성, 미디어에 의한 영국의 투표권 운동의 확산과 구한말 국채보상운동의 확산 사례, 정보 선택권의 확대에 따른 정치적 편향 강화 지문이 제시됨으로써 수험생이 글 자료를 활용하여 자신의 선택을 정당화하거나 반론하도록 하였다.
2020학년도 모의 논술	● 논제는 세계경제위기 이후 기업의 합리적 경영전략 선택에 관한 것이었다. 데이터 자료는 다른 모든 조건이 동일한 상황에서 몇 가지 조건이 달라질 경우, 합리적인 선택을 할 수 있는 능력을 갖추고 있는지를 평가하도록 제시되었다. 글 자료는 선택의 합리성을 정당화하거나 반박하도록 다문화주의, 창의성과 혁신, 선택과 집중, 다양한 관점의 중요성과 관련된 지문이 제시함으로써 수험생이 글 자료를 활용하여 자신의 선택 합리성을 정당화하거나 반론을 하도록 하였다.

III. 논술이란?

1. 논술이란?

1) 논술이란?

어떤 문제에 대해 자기 나름의 주장이나 견해를 내세운 다음, 여러 가지 근거를 제시하여 그 주장이나 견해가 옳음을 증명하는 글쓰기 활동을 말한다. 따라서 논술의 가장 기본적인 요소는 주장과 근거이다. 다시 말해 어떤 주제에 관해서 자신의 견해를 밝히고 자기 의견을 내세우는 글이 바로 논술이다. 때문에 논술은 특별히 논리적이어야 한다는 요구를 받게 된다. 왜냐하면 여러 가지 의견이 있을 수 있는 문제에 대해 자신의 의견을 세워 다른 사람을 설득하려면, 그 주장이 충분한 근거 위에서 논리적으로 개진될 때만 가능하기 때문이다.

2) 대한민국 논술고사는?

한국에서의 대학 입시 논술고사는 실제 교과 과정과 교과서가 기본이 되어 응용된 사고와 풀이 능력과 지식을 바탕으로 한다. 논술고사는 일반적을 비판적으로 글을 읽는 능력과 창의적으로 문제를 설정하고 해결하는 능력 그리고 논리적으로 서술하는 능력을 종합적으로 평가하는 시험이다. 비판적으로 글을 읽는다는 것은 능동적으로 자신의 관점에서 글을 읽는 것을 말하며, 창의적으로 문제를 설정하고 해결하는 능력이란 심층적이고 다각적으로 논제에 접근함으로써 독창적인 사고와 풀이를 이끌어낼 수 있는 능력을 말한다. 그리고 논리적 서술 능력은 글 구성 능력, 근거 설정 능력, 표현 능력 등을 포괄한다.

3) 인문계 논술? 그리고 그 변화

모든 글은 일반적으로 3가지 종류로 나뉘어진다. 시, 소설 등 문학 작품과 같은 글쓰기인 창작적 글쓰기(creative writing)와 설명문이나 해설문의 글쓰기는 해명적 글쓰기(expository writing), 그리고 논설문의 글쓰기인 비판적 글쓰기(critical writing)가 있다. 이 글쓰기 중 대한민국의 대학입시에서 시행되고 있는 인문계 논술은 창작적 글쓰기는 포함되지 않는다. 새로운 문학 작품을 쓰는게 아니라 제시문을 읽고 내용을 구체화시켜 잘 설명하는 설명문의 형태가 있고, 주어진 문제에 대해 생각하고 깊이있는 주장을 피력하는 비판적 글쓰기도 있다.

2. 논술의 기본 용어

1) 논제 : 논술의 문제를 의미한다.

반드시 해결하고 접근하여야 할 논술 시험의 대상이다.

(1) 중심 논제 : 채점할 때 가장 배점이 높으며, 핵심적으로 해결해야 할 논술의 문제

(2) 세부 논제 : 큰 논제 속에 포함된 작은 문제, 각 단계별 채점의 기준이 되며 세부 채점 항목으로 필수 해결 항목이다.

2) 논거 : 논술에서 설명하고 주장하는 논리적인 근거 혹은 이유

3) 주장 : 수험생이 생각하고 채점자에게 알리고 싶은 생각
4) 제시문 : 보기 지문을 말한다.
 (3) 출제자가 논제 해결을 위해 보여주는 다양한 글
 (4) 각종 그래프, 도표, 그림 등
    자료가 정해져 있지는 않다. 하지만 고등학교 교과서를 가장 많이 인용하고, 고등학교 교과 과정으로 분석하고 판단할 수 있는 내용을 제시한다.
5) 개요 : 논제에 맞게 더 구체적으로는 세부 논제에 맞게 글의 진행 방향을 간략하게 정리하는 과정이다.

3. 논술의 명령어

논술고사 후 대학의 발표 자료를 보면 논술은 출제자의 의도에 부합하게 글을 써야 한다고 강조한다. 그런데 출제자의 의도를 파악하는 것은 자칫 상당히 모호하고 주관적인 것으로 판단하기 쉽다.
하지만 인문계 논술에서는 명령어가 한정되어 있다. 그 명령어들을 잘 익히고 의미를 파악한다면 훨씬 논술의 이해가 높아질 것이다. 또한 대학의 채점 기준에는 명령어의 요구조건을 충족하는지를 평가한다. 그러므로 인문계 논술의 명령어는 수험생에게는 아주 기초적이지만 필수적이며 절대 잊지 말아야 할 중요한 핵심이다.

1) ~ 에 대해 논술하시오.

; 주장을 밝히고 근거를 제시한다.

2) ~ 에 대해 설명하시오.

: 사실, 주장 등을 쉽게 풀어서 밝힌다.

- ~ 제시문 간의 관련성을 설명하시오.
- ~ 제시문의 논리적 타당성과 문제점을 설명하시오.
- ~ 제시문을 참고하여 주어진 자료의 특징을 설명하시오.
- ~ 제시문의 관점에서 왜 그런 현상이 생기는지 그 이유를 설명하시오.

3) ~ 의 비교하시오. 혹은 대조하시오.

: 공통점과 차이점을 중심으로 설명한다.

- ~ 공통점과 차이점을 설명하시오.

4) ~ 을 분석하시오.

: 주제를 구성요소로 나누고 각 부분의 의미와 상호관계를 밝힌다.

5) ~ 제시문과 주어진 자료를 참고하여 현상을 예측해 보시오.

: 주어진 자료를 해석하고 자료로부터 얻을 수 있는 시간에 따른 변화나 자료의 발생 이유를 살핀다.

6) ~ 제시문의 문제점을 지적하고 그 문제점을 해결할 방법을 제시하시오.

: 보통은 수학이나 과학의 역사에서 발생했던 여러 오류나 실험과정에서 나타난 문

제점을 가지고 있다. 또한 이론이나 실험, 학생의 실험보고서 등과 같이 확실한 오류가 있는 제시문을 주기도 한다. 분명히 문제점을 파악하여 답안에 서술하고 문제점이나 해결할 수 있는 방법 등을 명확히 하여야 한다.

● ~ 제시문의 관점에서 왜 그런 현상이 생기는지 그 원리를 설명하고 그런 현상을 예방할 수 있는 방안을 제시하시오.
● ~ 문제점을 지적하고 합리적 대안을 제안해 보시오.
● ~ 주어진 관점을 검증할 수 있는 방법을 논하시오.
● ~ 주어진 문제점을 해결할 수 있는 실험을 설계해 보시오.

---

7) 제시문의 관점에서 주장을 비판하시오.

: 어떤 주장의 타당성이나 가치 등을 평가한다.

4. 인문계 논술 글쓰기 유의사항

① 논제의 해결이 핵심이다. 출제자가 원하는 답을 써야 한다.

② 논제에 부합하는 글을 일관성 있게 써야 한다.

③ 한편의 글을 완성하여야 한다. 나열하거나 사례를 보여주는 것은 의미가 없다.

④ 제시문을 활용, 인용하는 것과 제시문을 그대로 옮겨 쓰는 것은 다르다. 적절하게 제시문의 내용을 사용하여 논제를 해결하여야 한다. 절대 제시문의 문장을 그대로 쓰면 안 된다. 금기사항이고 감점요인이다.

⑤ 부적절한 문장 즉, 비문을 만들지 말아야 한다. 주어와 서술어가 적절하게 있어 문장의 의미를 명확히 전달하여야 한다. 주어를 생략하거나 지시어를 과도하게 사용하면 문장의 의미가 모호해 진다.

⑥ 문장은 짧고 간결하게 써야 한다. 자신의 의견을 명확히 간결하고 효과적으로 밝혀야 한다.

5. 논술 확인 사항

① 시간의 제한이 시험이다. 논술 시험은 자유롭게 글을 쓴다고 생각하고 주어진 시간을 체크하지 않는 경우가 정말 많다. 대학별로 요구하는 시간에 알맞게 답안을 구성해야 한다.

② 문단의 구성, 맞춤법, 띄어쓰기 등을 무시하면 절대 안 된다. 글쓰기의 기본은 의미의 전달 과정임으로 효율적인 연습과 준비가 되어 있어야 한다.

③ 습관적으로 물어보는 의문문, 같이 할 것을 제안하는 청유형은 사용하지 않는 것이 좋다. 문법의 오류가 아니라 격을 떨어뜨리고 글을 단조롭고 어색한 글 전개가 될 가능성이 높다.

④ 500자 미만이면 서론에 해당하는 도입과정은 과감히 생략하고 바로 논점으로 들어간다.

⑤ 한국어에는 수동태가 없다. 그러나 워낙 영어 번역하며 많이 사용하다 보니 논술

답안에도 수험생들이 자주 사용한다. 문법에 맞는 효과적인 표현이 필요하다. 학생이 수험생이 대학의 논술 고사에 응시하고 답안지에 논술 답안을 쓰는 것이다. 대학의 논술 답안지가 수험생으로부터 답안으로 쓰여지는 것이 아니다.

⑥ 많은 수험생들은 착각을 한다. 논술을 멋진 글쓰기라고 생각해 감상적이거나 비유적인 표현도 많이 사용한다. 그런데 오히려 이러한 표현은 채점자가 수험생의 사고능력 파악이 힘들어지고, 오히려 논제 해결을 했는지 판단하는데 혼동을 준다. 또한 일상에서 사용하는 구어체도 사용하면 안 된다. 논술은 글쓰기에서 쓰는 조금 딱딱한 문어체를 사용하는 것이다.

⑦ 아무리 강조해도 글씨의 중요성은 지나치지 않을 것이다. 채점하는 교수님들의 한결같은 큰 애로점은 이해할 수 없는 학생의 글씨라고 한다. 글씨체를 갑자기 바꿀 수 없지만 타인이 알 수 있게 규칙적으로 줄을 맞춰 쓰고, 분량에 맞는 큰 글씨로, 흘려 쓰지 않는 정자체로 답안을 작성하여야 한다.

Ⅳ. 인문계 논술 실전

1. 각 대학별 논술 유의사항을 파악하라!

많은 대학에서 글자수 제한을 확인하여야 한다. 그래서 원고지 형이 많지만, 문항별 칸을 만들거나 밑줄 답안 형식도 있다. 논술 시험 시간은 각 대학별로 다양하다. 60분 즉, 한 시간을 시작으로 많게는 2시간까지 (120분)까지 다양하게 있다. 대학별로 준비해야 하는 중요한 이유이다. 답안을 작성하는 필기구도 다양하다. 연필(샤프펜)의 사용이 꾸준히 증가하지만 아직까지 검정색 볼펜이나 청색 볼펜으로 사용하는 학교도 많다. 주의할 것은 수정법이다. 수정은 학교에 따라 수정액, 수정테이프의 사용을 제한하는 경우도 있고 틀리면 두줄을 긋고 써야 하는 곳도 있다. 그러므로 각 대학별 특징을 파악하고, 미리 답안 작성 연습은 물론이고 작성할 때도 대학별로 금지하는 내용을 숙지하고 시험장에 가야 한다.

각 대학별 유의사항 사례

사례 1)

가. 답안은 한글로 작성하되, 글자수 제한은 없다.

나. 제목은 쓰지 말고 특별한 표시를 하지 말아야 한다.

다. 제시문 속의 문장을 그대로 쓰지 말아야 한다.

라. 반드시 본 대학교에서 지급한 필기구를 사용하여야 한다.

마. 수정할 부분이 있는 경우 수정도구를 사용하지 말고 원고지 교정법에 의하여 교정하여야 한다.

바. 본 대학교에서 지급한 필기구를 사용하지 않거나, 수정도구를 사용한 경우, 답안지에 특별한 표시를 한 경우, 또는 원고지의 일정분량 이상을 작성하지 않은 경우에는 감점 또는 0점 처리한다.

사례 2)

Ⅰ. 필요한 경우 한 개 또는 여러 개의 제시문을 선택하여 논의를 전개하고, 사용한 제시문은 꼭 참고문헌 형태로 표시하시오.

  예) …[제시문 1-4].

  예) …되며[제시문 2-4], …의 경우는 ～을 보여준다[제시문 2-1].

Ⅱ. [문제 1]부터 [문제 4]까지 문제 번호를 쓰고 순서대로 답하시오.

Ⅲ. 연필을 사용하지 말고, 흑색이나 청색 필기구를 사용하시오.

Ⅳ. 인적사항과 관련된 표현을 일절 쓰지 마시오.

Ⅴ. 문제당 배점은 동일함.

사례 3)

◇ 각 문제의 답안은 배부된 OMR 답안지에 표시된 문제지 번호에 맞춰 작성하시오.

◇ 각 문제마다 정해진 글자수(분량)는 띄어쓰기를 포함한 것이며, 정해진 분량에 미달하

거나 초과하면 감점 요인이 됩니다.
  ◇ 답안지의 수험번호는 반드시 컴퓨터용 수성 사인펜으로 표기하시오.
  ◇ 답안은 검정색 필기구로 작성하시오. (연필 사용 가능)
  ◇ 답안 수정시 원고지 교정법을 활용하시오. (수정 테이프 또는 연필지우개 사용 가능)
  ◇ 답안 내용 및 답안지 여백에는 성명, 수험번호 등 개인 신상과 관련된 어떤 내용, 불필요한 기표하면 감점 처리됩니다.

사례 4)
  ◆ 답안 작성 시 유의사항 ◆
  □ 논술고사 시간은 90분이며, 답안의 자수 제한은 없습니다.
  □ 1번 문항의 답은 답안지 1면에 작성해야 하고, 2번 문항의 답은 답안지 2면에 작성해야 합니다. 1, 2번을 바꾸어 작성하는 경우 모두 '0점 처리'됩니다.
  □ 연습지는 별도로 제공하지 않습니다. 필요한 경우 문제지의 여백을 이용하시기 바랍니다.
  □ 답안은 검정색 또는 파란색 펜으로만 작성하며 연필, 샤프는 사용할 수 없습니다.
  □ 답안 수정은 수정할 부분에 두 줄로 긋거나 수정테이프(수정액은 사용 불가)를 사용해서 수정합니다.
  □ 답안지에는 답 이외에 아무 표시도 해서는 안 됩니다.
  □ 답안지 교체는 고사 시작 후 70분까지 가능하며, 그 이후는 교체가 불가합니다.

2. 제시문에 먼저 눈을 두지 말고 문제를 파악하라!!!

  대학별 고사인 논술의 어려운 점은 시간의 제한이 있는 글쓰기 시험이라는 것이다. 자유롭게 잘 쓸 수 있는 내용일지라도 시간의 제한이 있으면 얘기가 달라진다. 특히 지금과 같이 각 대학별로 다양하게 등장하는 시험에 익숙하지 않은 수험생에게는 더 큰 부담으로 작용을 한다.
  대학에서는 다양하게 제시문과 문제를 분포시킨다. 문제를 등장시키고 제시문이 등장하는 경우, 그림과 도표, 그래프 등과 같이 자료를 제시하고 제시문과 문제를 함께 등장시키는 경우, 제시문을 많이 등장시키고 마지막에 문제를 제시하는 경우 등... 이렇듯 다양한 문제에 시간의 적절한 활용은 대학별 고사의 실전에서는 당락을 결정하는 중요 요소이다.
  이러한 실전적 논술에서 핵심은 바로 목적을 가지고 제시문의 읽기가 선행되어야 한다. 글 읽기의 핵심은 문제을 통해 논제를 구체적으로 파악하고 그 논제에 부합하게 제시문을 분석하는 것이다.

  ① 문제를 먼저 확인하라!! - 제시문을 읽고 문제를 보면 다시 긴 제시문을 또 읽어 시간을 낭비한다.
  ② 세부 논제 확인하라!! - 한 문제라도 그 문제 속에 다루는 논제는 여러 개가 될 수 있

다. 그 질문 내용을 파악하라. 그리고 요구한 논제에 맞게 글을 구성한다.
 ③ 전제적 요건 파악하라!! - 각 문제의 전제적 요건 및 글로 표현된 부연 설명 등이 중요한 키워드가 될 수 있다.

V. 인하대학교 기출

1. 2024학년도 인하대 수시 논술

[문항 1] 제시문 (가)에서 설명한 두 가지 책임론 중 하나의 관점을 선택하여, 밑줄 친 (A)에 대한 자신의 입장을 제시문 (나)~(마)를 모두 활용하여 정당화하시오.(정당화에는 자신의 주장, 주장에 대해 예상되는 반론, 그리고 이에 대한 재반론을 포함할 것) (1,000자±100자, 60점)

(가) 오늘날 책임은 정치, 경제, 사회, 문화, 과학기술 등 거의 모든 영역에서 강조되고 있다. 어떤 것 혹은 누구에 대해서 책임을 진다는 것, 책임을 묻는다는 것은 대단히 중요하다. 그러나 책임의 현실적 중요성과 필요성으로부터 책임의 당위가 저절로 도출되지는 않는다. 강물에 빠진 아이를 구해야 할 책임이 어른에게 있음은 누구나 쉽게 인정할 수 있지만, 그러한 필요성을 인정하는 것과, 책임의 본질과 근거가 어디에 있는지를 묻는 것은 전혀 다른 것이다.

책임 개념은 지금까지 늘 자유 개념과 연계되어 왔다. 일반적으로 윤리학은 의지의 자유와 결정의 자유를 책임의 필수적인 조건으로 여긴다. 그러나 책임 개념은 윤리학의 역사에서 늘 자유 개념의 뒷전에 머물러 있었다고 해도 과언이 아니다. 이에 반하여 홀(Jann Holl)은 무엇보다도 사회 안녕의 유지가 중요하기 때문에 인간의 자유의지보다는 사회 질서가 책임의 필수 조건이라고 본다. 인간은 자유롭지 못하지만 책임이 있다거나, 책임은 자유를 내포하지 않는다는 주장은 이미 고대 희랍의 문학과 철학에서부터 등장한다. 이와 같이 책임의 본질에 대한 논쟁이 오랫동안 지속되어 왔지만, 아직 충분한 의견일치가 이루어지지 않고 있다. 그 가운데 주요 논쟁은 **(A) '인간의 자유의지가 행위에 대한 책임을 물을 수 있는 근거인가, 아닌가'** 하는 점이다.

책임에 대한 일반적인 견해는 '규범적 책임론'이다. 규범적 책임론의 입장은 인간이 자신의 행동을 자유롭게 결정할 수 있는 자유의지가 있다는 점을 전제로 하고, 행위자가 행위를 할 때 자유로운 행위 결정에 영향을 미치는 다른 여러 조건들이 있었는지에 주목한다. 객관적인 상황 조건까지 감안하여 행위자에게 행위 당시 적법행위로 나아갈 가능성이 있었는가 하는 점에 큰 의미를 부여하고, 책임이란 규범에 부합하게 행위할 수 있었음에도 불구하고 위법한 행위를 선택한 것에 대한 '비난 가능성'이라고 본다. 즉 책임은 자유로운 의사결정능력이 있는 인간이 외부의 어떠한 강제나 방해가 없었음에도, 자신의 양심 내지 이성에 반한 행위를 결의한 것에 대한 비난이다. 나아가 인간의 위법 행위에 대해 어떠한 법적 제재를 가할 것인가도 바로 자유의지에 따른 책임에 근거한다고 볼 수 있다.

이와 다르게 인간의 자유의지와 관계없이, 사회질서 유지라는 목적에 중점을 두고 책임의 근거를 설명하는 '사회적·기능론적 책임론'이 있다. 어떤 인간의 행위가 비난의 대상이 되는 이유는 타인과 사회에 해를 끼치기 때문이며, 이에 대해 책임을 묻는 것은 행위의 결과를 비난·처벌하는 것뿐 아니라 재발을 방지하여 사회규범을 유지하는 것을 목적으로 한다. 더 나아가 책임을 형벌 목적을 달성하기 위한 수단으로 보고, 책임의 내용이 예방의 목적에 의하여 결정되어야 한다는 견해도 있다. 즉 범죄에 대한 처벌의 목적은 이미 일어난 불법에 대한 비난 가능성뿐만 아니라, 형벌이 달성하게 될 예방의 의미도 있다는 것이다. 이와 같이 예방을 통한 사회질서 유지에 주안점을 두게 되면 행위자가 행위 시에 자유의지를 가졌는가의 문제는 중요하지 않다. 행위자에게 다른 행위 가능성이 있기 때문에 비난을 하는 것이 아니라, 사회질서를 유지하기 위한 예방 목적을 달성하기 위해 행위자를 비난하는 것이다.

고등학교 『통합사회』, 『정치와 법』 활용

(나) 우리는 매 순간순간 생각하고 욕구한다. 무엇을 하고자 하는 욕구, 무엇을 하지 않고자 하는 욕구는 그 이유가 무엇이든 우리가 인정하거나 인정하지 않는 욕구일 수 있다. 이렇게 우리가 가진 욕구에 대해 스스로 인정하지 않는 마음이 들 때 그 욕구를 차라리 갖지 않았으면 하고 생각할 수 있다. 이때 이 생각으로 인해 이어지는 욕구가 바로 2차적 욕구이다. 물론 2차적 욕구에 대해 3차적 욕구를 가질 수도 있다. 욕구에 대한 중층 구조적 설명은 프랭크퍼트(Harry G. Frankfurt)의 이론을 통해 잘 알려져 있다. 프랭크퍼트의 인간 의식에 관한 구조 분석의 가장 큰 특징은 칸트 철학이 지닌 도덕 지향적인 의지 분석을 벗어난다는 점이다. 그의 이론은 인간 의지에 대한 상식적인 분석을 토대로 한다. 인간의 욕구는 다층적인 구조를 이루고 있다. 인간은 자신의 내면에서 일어나는 욕구에 대해 가장 강한 충동을 그저 받아들이는 것만이 아니라 그것을 강화하기도 하고 거부하기도 한다. 어떤 사람이 갈증으로 물을 마시고자 하는 욕구가 일어나는데 만약 눈 앞의 물이 바닷물이라면 그 사람에게는 이제 이러한 욕구에 뒤따라 그 물을 마시면 안 된다는 자각과 더불어 그 물을 마시지 않고자 하는 욕구가 일어날 것이다. 이때 처음에 일어나는 욕구는 1차적 욕구이고, 나중에 일어나는 욕구는 2차적 욕구라고 할 수 있다.

여기서 1차적 욕구는 식욕이나 흡연, 음주 등 구체적인 대상을 향하는 것으로써, 인간뿐만 아니라 모든 동물이 가지고 있다. 그러나 인간은 본능적, 충동적인 욕구 외에도 1차적 욕구를 강화나 약화, 혹은 그 방향을 변경하고자 하는 2차적 욕구를 지니고 있다. 이러한 2차적 욕구를 가질 수 있는 능력이 인간을 인격체로 만드는 요소라 할 수 있다. 인간은 2차적 욕구를 가질 수 있어, 단순히 1차적 욕구에 지배되지 않고 1차적 욕구를 따르거나 또는 따르지 않기로 결정할 수 있다. 이와 같이 자유의지에 기반한 2차적 욕구를 가진 존재만이 인격체가 될 수 있다. 따라서 인격체에게 중요한 것은 행위의 자유가 아니라 의지의 자유이다. 행위의 자유는 강제나 방해만 존재하지 않는다면 가능하다. 인간의 행동을 이끄는 것은 욕구이다. 욕구의 지배하에서 인간은 자유롭지 못하다. 인간이 비난받거나 책임을 져야 하는 행위를 야기하는 것은 욕구인 것이다. 다만 인격체로서 인간은 자신의 욕구를 따를 수도 있고, 이를 거부하거나 포기할 수 있는 욕구도 가지고 있다. 학교 선생님이 학생에게 교육의 목적으로 상벌을 주는 이유는 이를 통해 그 학생의 행위에 영향을 주어 자신에게 좋은 방향으로 더욱 노력하거나 행위를 변경할 수 있다고 보기 때문이다. 만약 그 학생에게 그러한 능력이 없다면 어떠한 상벌도 학생을 더 좋게 만들 수 없을 것이다. 결국 인간의 행위에 대해 책임을 부과할 수 있는 것은 이러한 2차적 욕구 능력이 있기 때문이다.

고등학교 『사회·문화』, 『생활과 윤리』 활용

(다) 근래의 뇌과학이 초점을 맞추고 있는 것은 인간에게 자유의지가 있는가의 문제다. 뇌과학은 최첨단 장비를 통해 두뇌 속을 구석구석 탐색했지만 인간 행동이 물리화학적 인과원리에 따르는 신경연결망에 묶여 있을 뿐, 이와 독립적으로 존재하는 자유의지가 있다는 과학적 근거를 찾을 수 없었다. 이를 근거로 뇌과학자들은 인간은 자유롭지 못하기 때문에 자유도 말할 수 없고 책임을 말하는 것도 중단해야 한다고 주장했다.

자유의지가 없다면 책임을 말할 수 없는 걸까? 현대 뇌과학에 앞서 이미 두뇌이론을 제시하며 자유와 책임의 문제를 검토했던 하이에크(Friedrich Hayek)의 견해를 살펴보자. 그는 1952년 발간한 『감각적 질서』에서 "자유의지 또는 정신이라는 독립된 실체는 존재하지 않는다"고 주장했다. 그는 정신이란 물리화학적 인과율에 따르는 신경작용의 산물이고, 인간 행동도 마찬가지로 신경작용의 결과라고 인식했다. 현대 뇌과학자들은 이러한 하이에크의 이론을 두뇌과학의 효시라고 격찬하면서 자유의지도, 그에 따른 책임도 없다는 자신들의 주장을 강화하는 근거로 활용했다.

하지만 정작 하이에크 자신은 결정론을 주장하면서도 책임의 문제에 대해서는 현대의 뇌과학자들과 다른 견해를 제시했다. 인간의 행동이 물리화학적 결정성에 의해 좌우되기 때문에 책임의 근거가 없다는 주장은 '지적 혼란'에서 비롯되었다고 하이에크는 비판한다. 그는 책임의 문제는 자유의지와 관련이 없다고 생각했다. 하이에크는 자유주의자들이 책임을 정당화하기 위해 끌어들인 자유의지가 책임의 근거가 되기에는 적합하지 않다고 주장했다. 그런 자유는 개인적·심리적 현상을 표현하는 개념이고 인간관계를 설명하기에는 충분치 않기 때문이었다. 자유의지는 과거의 어떤 경험이나 기억에도 좌우되지 않으며 어떤 원인에 의하지도 않는다. 그래서 '자유의지자 (free willer)'는 타인의 비난, 칭찬, 처벌 등 어떤 것에도 아랑곳하지 않고 멋대로 행동할 가능성이 높다. 자유의지자들의 사회에서는 질서가 형성되고 유지될 수 없다. 따라서 그는 책임의 근거를 자유의지 대신에 사회적이고 법적인 범주에 속하는 행동의 자유로 대체할 것을 제시했다.

자유와 책임은 인간 상호간의 관계, 즉 사회제도와 관련해서만 의미가 있는 개념이다. 책임 원칙은 개인의 행동과 그 결과에 대하여 다른 사람들에게 전가하지 말고 스스로 책임져야 한다는 것, 자신의 행동이 타인들에 끼친 피해에 대하여 책임을 져야 한다는 것을 의미한다. 그 원칙은 '사회적으로 구성된 규칙', 즉 '사회적 규약'이다. 모든 사회 제도의 존재 이유와 마찬가지로 책임의 문제도 사회적 기능에서 찾을 수 있다. 행동과 그 결과에 책임지게 함으로써 사회 질서를 유지하도록 사람들의 행동을 유도하는 것이 책임 원칙의 기능이다. 인간 행위에 대한 책임은 그 행위가 타자와의 사회적 관계에 어떤 영향을 미치는가에 따라 부과되어야 한다.

『고등학교 사회·문화』, 『윤리와 사상』활용

(라) 현대 법질서에서 개인의 행동에 대한 책임을 물을 수 있는 근거는 무엇인가? 소설 『지킬 박사와 하이드』의 주인공 지킬 박사는 인간의 본성을 선과 악으로 나누는 실험을 위해 스스로 실험 대상이 된다. 그리고 실험 결과 새로운 인격체인 악한 하이드가 탄생한다. 그렇다면 지킬 박사는 자신의 또 다른 인격 하이드가 저지른 범죄에 대해 책임을 져야 할까? 형법상 범죄자가 심신장애에 해당하면 처벌을 받지 않거나 형을 감면받을 수 있다. 심신장애는 사물 변별능력이나 의사결정 능력을 상실한 상태인 '심신상실'과, 능력을 상실한 것은 아니지만 부족한 상태인 '심신 미약'으로 구분된다. 심신상실자는 처벌받지 않고, 심신미약자는 형을 감경받는다. 심신장애로 인한 책임능력의 여부는 행위자가 죄를 범할 시 심리적·신체적 상태가 사물을 변별하거나 의사를 결정할 능력이 있었는가를 기준으로 판단한다. 일반인도 누구나 일시적으로 심신장애자가 될 수 있는데, 대표적인 예가 만취, 약물 중독, 혹은 수면 중인 경우 등이다. 그래서 많은 피의자나 피고인이 죄를 범한 뒤 술에 취해 저지른 일이라 기억이 나지 않는다고 변명하는 것이다.

그렇다면 지킬 박사도 하이드가 저지른 살인 행위에 대해 약물을 주입하고 심신장애 상태에서 저지른 일이었다고 주장함으로써 책임을 피할 수 있을까? 하이드와 같이 자아상, 대인관계, 정서가 불안정하여 충동적인 정신질환 상태인 경계성 인격장애자가 저지른 범죄행위에 대해, 현대법의 판례는 원칙적으로 책임을 면할 수 없다고 설명한다. 판례에 비추어 보면, 하이드의 경계성 인격장애는 형의 감면 사유인 심신장애에 해당하지 않는다. 하이드의 인격장애가 원래 의미의 정신병을 가진 사람과 동등할 정도로 심각하지 않으며, 범행 동기나 방법 등을 종합해 보면 범행 당시 사물을 변별하거나 의사를 결정할 능력이 미약한 상태에 있었다고 보기 어렵다.

즉 하이드가 되어 악한 본성을 드러내는 것은 일종의 인격장애라고 볼 수 있는데, 판례는 이러한 인격장애를 가진 것만으로 심신미약에 해당한다고 보지 않는다. 게다가 하이드는 인격이 문제일 뿐 심신장애자처럼 범행 당시 몸을 가눌 수 없을 정도로 심신이 통제 불능 상태는 아니었으므로 약물에 의해 육체적·정신적 조절 능력을 일시적으로 상실한 '명정상태'였다는 주장도 인정되기 어렵다. 그렇다면 범죄행위가 심신상실을 인정하여 처벌되지 않은 사례도 있을까? 1840년 빅토리아 여왕과 왕자를 해치려던 에드워드 옥스퍼드가 정신이상을 이유로 사면된 역사적 사건이나, 최근 지인에게 악귀가 씌었다며 중대한 상해를 입힌 가해자에게, 상해행위는 인정되나 환각, 피해망상 증세로 사물을 변별하거나 의사를 결정할 능력이 없는 상태에서 범행한 것으로 보고 무죄를 선고한 사례 등이 있다. 그러나 이처럼 피고인의 심신상실 상태를 인정한 사례는 많지 않다. 하이드는 범죄를 저지를 때 그 행위가 무엇을 의미하는지 명확하게 인식했다는 점에서도 심신상실 상태라고 보기 힘들다. 결과적으로 지킬 박사는 의사결정 능력이 있었던 하이드가 저지른 범죄에 대해서 책임을 면하기 어려울 것이다.

고등학교 『사회·문화』, 『정치와 법』 활용

(마) 지금까지의 세계는 개인주의, 인권, 민주주의, 자유시장이라는 자유주의 패키지가 지배해 왔다. 자유주의자들이 개인의 자유에 높은 가치를 두는 것은 개인이 자유의지를 가졌다고 믿었기 때문이다. 외적인 힘과 우연한 사건이 영향을 미치지만, 실제로 우리 각자는 자유라는 요술봉을 휘둘러 스스로 결정을 내린다. 우주에 의미를 부여하는 것은 우리의 자유의지다. 당신 외에는 누구도 당신이 실제로 어떻게 느끼는지 알거나 당신의 선택을 확실하게 예측할 수 없기에 가슴이 시키는 대로 따르고 좋게 느껴지는 것을 선택할 자유는 중요하다고 보았다. 경험이 우리 안에서 일어나고, 우리는 모든 일의 의미를 우리 안에서 찾음으로써 우주에 의미를 채워 넣어야 한다는 인본주의는 신 중심적 세계관에서 인간 중심적 세계관으로 전환하여 신을 밀어냈다. 로크, 흄, 볼테르 등은 신을 인간 상상력의 산물이라고 주장하며, 신보다는 자기 내면의 목소리를 따르라고 했다. 19세기 이후 인본주의자들은 내면의 목소리에 귀를 기울이는 구체적인 지침으로 석양을 바라보고, 괴테를 읽고, 일기를 쓰고, 민주적 투표를 시행하는 일들을 권했다.

인간은 자신의 욕망에 따라 행동한다. 자유의지가 욕망에 따라 행동하는 능력을 의미한다면, 인간뿐만 아니라 침팬지와 개, 앵무새도 마찬가지로 자유의지가 있다고 할 수 있다. 그러나 자유의지에서 중요한 것은 앵무새와 인간이 내면의 욕망에 따라 행동할 수 있느냐가 아니라 애초에 자신의 욕망을 선택할 수 있느냐이다. 진화론에 따르면 동물의 골격이나 질환 등 신체형질만 유전자에 의해서 결정되는 것이 아니라, 어떤 동물이 무엇을 먹고 누구와 짝지을지도 결정된다. 또 인간의 심리와 행동, 본성도, 두뇌나 유전자와 같이 타고난 생물학적 물질에 프로그램화되어 있다. 인간은 자신이 자유가 있다고 느끼고, 자신의 소망에 따라 행동한다고 믿는다. 왜 나는 검은 색 자동차가 아니라 빨간색 자동차를 사고 싶어 할까? 하지만 이 소망도 내 선택이 아니다. 내가 특정한 소망을 느끼는 것은 내 뇌의 생화학적 과정들이 그런 느낌을 만들어 내기 때문이다.

그럼에도 19세기와 20세기에 자유주의에 대한 믿음이 통했던 이유는 나를 효과적으로 감독할 수 있는 외부 알고리즘을 실현할 과학 기술이 존재하지 않았기 때문이다. 20세기까지의 기술조건에서는 자신의 내적 목소리를 따를 만한 이유가 충분히 있었다. 하지만 21세기에 발달한 생명공학과 유전공학 같은 새로운 기술은 우리를 해킹해 나보다 나를 훨씬 더 잘 아는 외부 알고리즘을 만들어 냈다. 자유의 권한은 개인들로부터 그물망처럼 얽힌 알고리즘으로 옮겨가고 있다. 앞으로는 인간을 자기 소망에 따라 인생을 운영하는 자율적인 존재로 보는 대신, 네트워크로 얽힌 전자 알고리즘의 관리와 인도를 받는 생화학적 집합체로 보는데 더 익숙해질 것이다. 21세기의 구글과 페이스북 알고리즘은 전례 없는 연산력과 데이터를 활용하여 당신이 어떤 감정을 느끼는지 정확히 예측할 뿐 아니라, 이러한 알고리즘에 귀를 기울이는 것이 실제로 더 큰 이득이 됨을 알려준다. 21세기의 과학기술은 '신은 인간 상상력의 산물이지만, 인간 상상력은 생화학적 알고리즘의 산물'이라고 말하고 있다.

고등학교 『윤리와 사상』, 『통합사회』 활용

[문항 2] 여러분은 A국과 B국 모델 중 하나를 선택하여 향후 C국의 국가정책을 수립하려 한다. (자료 1), (자료 2), (자료 3)을 모두 이용하여 하나의 모델을 선택하고, 그러한 선택의 이유와 선택한 모델의 정책을 추진할 때 나타날 수 있는 문제점을 각각 서술하시오(자료에 제시된 조건 외에는 고려하지 않기로 한다). 그리고 서술한 문제점 중 하나를 골라 자신이 생각하는 해결방안을 자유롭게 제시하시오. (600자±60자, 40점)

(자료 1) <자료 1-1>은 A, B, C 각국의 명목 1인당 국내총생산(GDP), 산업비중, 온실가스 배출량을 정리 한 표이다. 산업 비중은 각 산업의 부가가치를 모든 산업의 부가가치의 합으로 나눈 값으로 산정한다. <자료 1~2>는 각국의 가구들을 5분위로 나누어 1분위(저소득층)와 5분위(고소득층)의 가구소득 분포를 나타낸 그림이다.

<자료 1-1> A, B, C국의 1인당 GDP, 산업 비중, 온실가스 배출량

		A국			B국			C국		
		1980년	2000년	2020년	1980년	2000년	2020년	1980년	2000년	2020년
명목 1인당 GDP (미국 달러)		13,200	28,500	35,400	13,000	28,000	34,900	12,500	13,100	13,600
산업 비중 (%)	IT 산업	10	18	20	10	11	11	5	6	6
	제조업 (IT 제외)	31	27	25	28	31	36	25	26	25
	기타 산업	59	55	55	62	58	53	70	68	69
온실가스 배출량 (백만 tCO_2)		520	620	770	512	754	1,062	568	570	575

* IT 산업은 IT 제조업과 IT 서비스업을 모두 포함함.
* 온실가스 배출량은 지구온난화를 유발하는 모든 가스 배출량을 이산화탄소 배출량으로 환산한 값임.

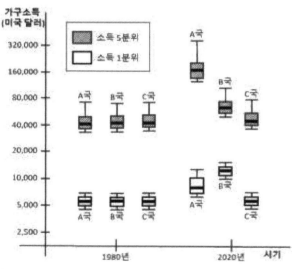

* 네모 중간에 있는 굵은 선은 중위값을 의미하며, 네모의 높이는 상위 25%와 하위 25% 간의 소득 차이를 나타냄.

(자료 2) <자료 2-1>은 소득수준과 소득격차에 따른 삶의 만족도를 조사한 표이다. 2020년 60개 국가를 표본으로 하여, 소득격차와 명목 1인당 GDP에 따른 국가별 삶의 만족도를 분류했다. 명목 1인당 GDP는 25,000 달러를 기준으로 분류하고, 소득격차는 가구소득 5분위와 1분위의 중위값 차이 100,000 달러를 기준으로 구분했다. 삶의 만족

도는 각국 국민 1,000명을 무작위로 택하여 '현재 삶에 만족하는가?'라는 질문에 '그렇다'고 응답한 사람의 비율로 계산했다. 삶의 만족도가 높은 상위 30개 국가는 'H', 삶의 만족 도가 낮은 하위 30개 국가는 'L'로 표기했다.

<자료 2-1> 명목 1인당 GDP 및 소득격차에 따른 삶의 만족도

		소득격차가 큰 국가		소득격차가 작은 국가	
		1인당 GDP가 높은 국가	1인당 GDP가 낮은 국가	1인당 GDP가 높은 국가	1인당 GDP가 낮은 국가
삶의 만족도	H	7	5	13	5
	L	8	10	2	10

(자료 3) 각국이 고령화 문제 해결을 위해 취할 수 있는 정책은 (1)출산장려책, (2)출산장려책+ 소극적 이민정책, (3)출산장려책 + 적극적 이민정책의 세 가지로 나눌 수 있다. 고령화 사회에 접어든 A, B, C국은 현재 공통적으로 출산장려책을 취하고 있으며, 이에 더하여 B국은 소극적 이민정책을, A국은 적극적 이민 정책을 시행 중이다.

 이상 세 가지 고령화 대응 정책의 효과를 분석하기 위해, 해당 정책을 추진하고 있는 30개 국가를 20년 간 추적 조사하였다. <자료 3-1>은 각 정책을 추진한 국가 집단의 평균 노년부양비 변화를, <자료 3-2>는 정책 시행 후 같은 국가 집단별 사회갈등지수와 사회역동성지수를 나타낸다. 노년부양비는 생산가능인구 1인당 부양해야 하는 노년층 인구수로 계산한다. 사회갈등지수는 사회구성원이 사회 내 갈등에 대해 인식하는 정도를 '0'(낮음)부터 '100'(높음) 사이의 값으로 수치화한 것이다. 사회역동성지수는 내·외부 변화에 긍정적으로 대응하며 사회를 변화시킬 수 있는 국가적 능력을 '0'(낮음)부터 '1'(높음)까지의 값으로 나타낸다.

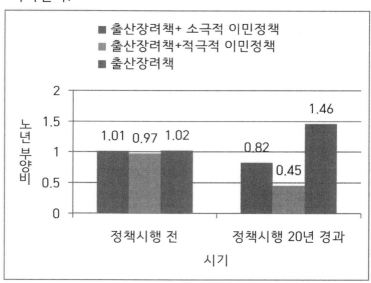

<자료 3-1> 고령화 대응 정책에 따른 집단별 평균 노년부양비 변화

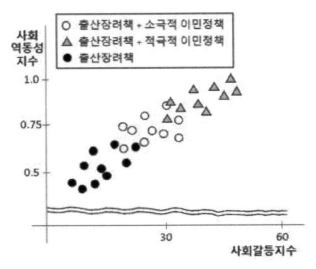

<자료 3-2> 고령화 대응 정책 시행 후 집단별 사회갈등지수와 사회역동성지수

*정책 시행 전 조사대상 국가들의 사회갈등지수와 사회역동성지수는 서로 비슷한 수준이었음

인하대학교
INHA UNIVERSITY

1번 답안

50

100

150

200

250

300

350

400

450

500

550

600

650

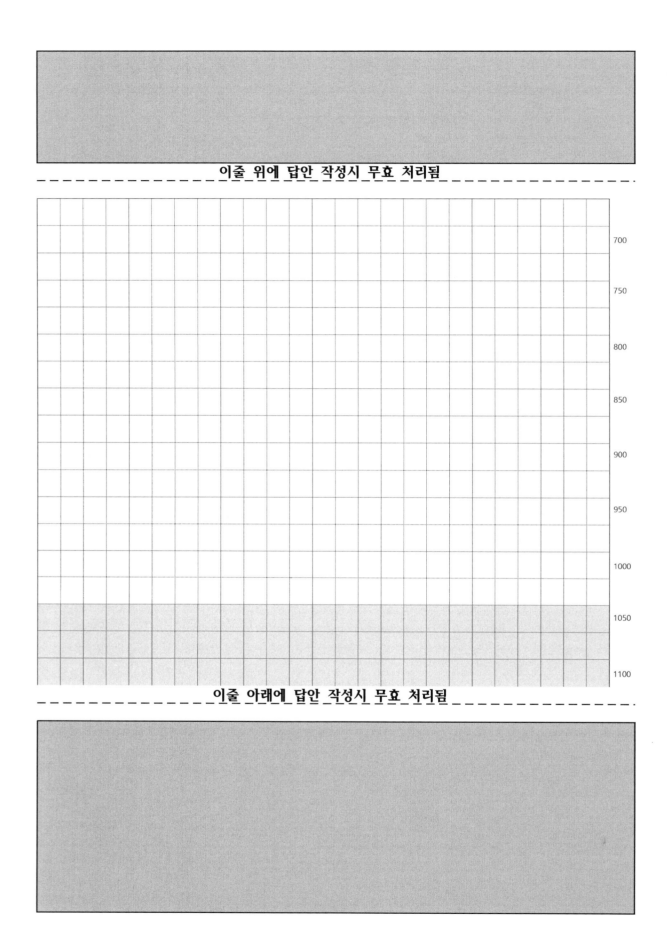

700
750
800
850
900
950
1000
1050
1100

이줄 위에 답안 작성시 무효 처리됨

| 2번 답안 |

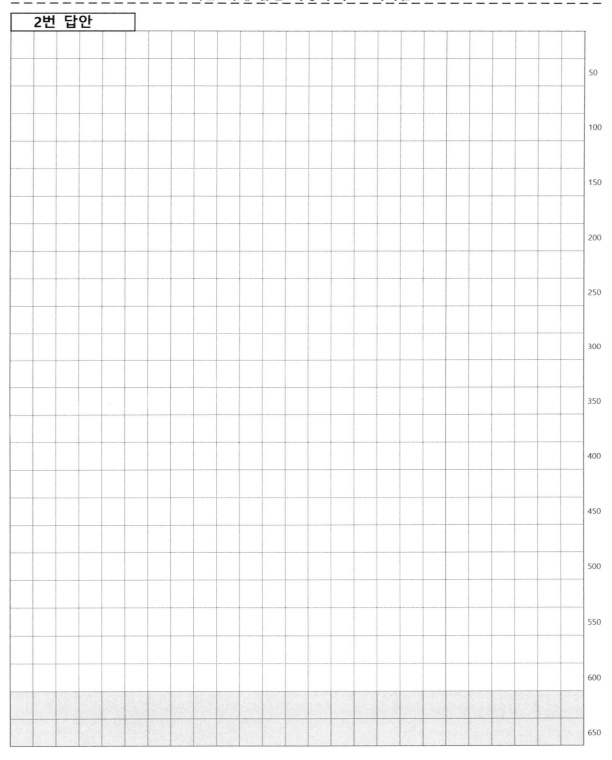

50
100
150
200
250
300
350
400
450
500
550
600
650

2. 2024학년도 인하대 모의 논술

[문항 1] (가)에 제시된 예술에 대한 두 가지 관점을 설명한 뒤, 그 중 하나의 관점을 선택하여 밑줄 친 (A)에 대한 자신의 입장을 (나)-(마)를 바탕으로 서술하시오. (1000자 ± 100자, 60점)

(가) 예술을 이해하고, 예술에 대한 여러 가지 견해나 이론들에 대해 논의하기 위해서는 무엇보다도 우선 예술이나 예술작품이 무엇인가에 대한 공통된 인식이 전제되어야 한다. 오늘날 예술작품이라고 여기는 것은 인류 역사 초기부터 출현하였지만, 그와 동시에 '예술'이나 '예술작품'에 대한 현재의 개념이 있었던 것은 아니다. 지금 우리가 사용하는 예술(art)이라는 개념은 적어도 근대 이전에는 존재하지 않았으며, 18세기 중엽 이후 유럽의 예술이론에서 확립되었다. 18세기 이전까지 이른바 예술은 주로 제의 혹은 종교와 관련된 활동이었고, 창작의 동기와 목적도 창작자의 자유로운 결정이 아니라 교회나 부유한 계층의 주문을 받아 제작하는 것이 일반적이었다. 따라서 당시 창작물은 종교나 정치, 실용적 목적에서 자유로울 수 없었다. 그러나 18세기 중반 이후 시민계층이 성장하면서 누군가의 주문에 의해서가 아니라 예술가가 자발적으로 예술품을 제작하고, 그 내용도 기존의 종교나 정치적 소재에서 벗어나 개인의 체험과 감정, 생각을 묘사하는 등 창작자의 자율성과 독창성을 중시하는 경향이 출현하기 시작했다. 이러한 새로운 창작태도로 제작된 작품에 기타의 제작물과 구분하여 '예술'이나 '예술작품'이라는 의미를 부여하기 시작하였다.

그러나 예술개념이 출현했다고 해서 곧 어떤 특정 제작물이 예술인가 아닌가가 명확히 구분되는 것은 아니었다. 대표적인 논쟁 사례는 바로 마르셀 뒤샹(Marcel Duchamp)의 '변기'이다. 1917년 뒤샹이 버려진 남성 소변기를 뒤집어 세워 'R.Mutt'라는 필명으로 서명을 하고 '샘'(Fountain)이라는 제목을 붙여 미술작품으로 출품하자, 이것을 미술작품으로 볼 수 있는가를 둘러싸고 논쟁이 발생하였다. 이와 같이 무엇이 예술인가를 결정하는 요인에 대해 지금까지도 여러 견해가 분분하다. 그중 하나는 예술품은 예술가가 자신의 생각과 감정을 미적 형식으로 표현하여 창조한 것이라는 관념이다. 여기서 중요한 것은 바로 예술가의 독창적인 창조활동이다. 그 독창성은 단지 형식적 표현으로만 구현되는 것이 아니라 작가의 창의적인 관념과 감정의 표현으로도 나타날 수 있다. 뒤샹의 '변기'가 예술작품이 될 수 있는 것은 '변기'의 형태가 지닌 미적인 가치도 있겠지만, 무엇보다도 그 '변기'를 통해 예술가 뒤샹이 표현하고 부여하고자 한 관념과 생각의 창의성이다. 이 경우 예술작품의 의의를 결정하는 것은 바로 예술가의 의도와 목적이고, 올바른 작품 감상은 작가의 의도와 목적에 대한 파악이 중심이 되어야 한다. 이러한 작가의 의도를 무시한 의미해석은 그 작품의 본질적인 예술가치가 아닐 뿐만 아니라 예술과 비예술 사이의 혼란을 피하기 어렵다.

이러한 예술가 중심의 관점과 달리 한 제작물이 예술작품인가를 결정하는 것은 감상자나 비평가 등 수용자라고 보는 견해도 있다. 한 제작물에 제작자의 창작 의도가 깃들어 있다고 해도, 그 의도는 작품에 직설적으로 표현되지 않고 감상자에 의해서 해석되어야 한다. 하나의 작품은 예술가의 창작의도를 반영하고 있지만, 또 예술가의 의도를 넘어선 또 다른 미적가치를 지닐 수 있는 것이다. 뿐만 아니라 감상자는 자신의 관점에서 예술가의 의도를 파악하거나 제작물로부터 예술적 감흥과 가치를 느낄 수 있다. 이런 시각에서 보면 제작자의 의도가 내재되어 있어도 감상자들이 아무런 감흥이나 예술적 가치를 느끼지 못한 제작물은 예술작품이라 보기 힘들다. 한 작품의 예술적 가치는 독자들의 창의적인 해석을 통해 더 강화되거나 재탄생하고, 특히 그것이 예술품인가는 제작자 개인이 아니라 예술계 집단의 판단에 의해 결정되기도 한다.

예술의 본질 문제는 최근 인공지능(AI)의 출현으로 사회의 중요한 화두가 되고 있다. 2022년 10월 비트폼 갤러리 SF와 데이원 벤처스가 '인공 상상'이라는 이름하에 이미지 생성 AI '달리(DALL-E)'를 사용해 만든 예술 작품 전시회를 개최하여 세간의 주목을 받았다. 이와 같이 인공지능 기술은 최근 미술뿐만 아니라 음악과 문학영역에서도 적극 활용되고 있을 뿐만 아니라 인간이 만든 창작물과도 경쟁하고 있다. 이에 따라 예술계는 물론 사회적으로 (A) <u>'전반적으로 인공지능에 의거하여 생성한 저작물을 예술작품이라고 볼 수 있을까?'</u>에 대해 의견이 분분하다.

고등학교 「문학」, 「생활과 윤리」 활용

(나) 창작은 새로운 것을 처음으로 만드는 것 또는 그 물건을 포괄하지만, 그 성격을 가장 잘 보여주는 것은 예술창작이다. 예술창작이 다른 창작과 비교하여 특별한 점은 그것이 주로 미적가치의 창출을 목적으로 한 인간의 정신적, 물질적 활동이라는 점이다. 우리는 자연에서 '미적' 현상을 발견하면 '예술이다!'라고 찬사를 보내지만, 이때 '예술'은 오직 비유적인 의미일 뿐이다. 역사나 일상에서 일어나는 몇몇 경이로운 사건을 예술이라고 칭할 때도 마찬가지다. 예술적 창작을 위한 의도와 관계없이 우연히 얻거나 자연적으로 존재하는 아름다움이나 기발함은 예술작품이라고 보기 어렵다.

어느 대상이 예술작품이 되는 것은 단지 결과물에 의해 결정되는 것이 아니라 그 과정, 즉 예술창작이라는 특수한 노동과 정과 그 산물에 대한 창작자의 승인에 의해 결정된다. 인간의 예술작품의 창작 과정은 복잡한 과정을 거친다. 먼저 작가가 영감을 바탕으로 한 구상단계에서 이를 물질적 수단을 통해 표현하는 과정 그리고 매 창작 과정에 대한 반복되는 평가와 수정을 거쳐 완성된다. 요컨대 작품은 예술가가 자신의 구상을 바탕으로 작품에 대한 기준을 세우고 그 기준에 부합할 때까지 매 순간 의식적이고 자각적인 노동과 작업을 거쳐 완성된다. 어떤 생산물이 아무리 새로운 것이고 심지어 인간의 작품보다 더 뛰어나 보이더라도 그것은 미를 추구하는 인간의 정신적 창조노동이 수반되지 않는다면 단지 멋진 제품이나 물건에 지나지 않는다. "하나의 작품은 작가가 그 안에서 자기 의도에 도달할 때 만족된다."는 렘브란트의 말은 여전히 경청할 필요가 있다.

예술가는 자신의 창작물이 예술작품인가를 판단할 권리를 지님과 동시에 전적인 책임도 가지고 있다. 이는 예술가가 예술작품이라고 주장하는 모든 창작물 혹은 생산물이 항상 예술작품으로 인정받는다는 것을 의미하는 것은 아니다. 지금도 전세계적으로 가장 사랑받는 화가 중 한명인 인상파 화가 모네가 1874년 〈인상, 해돋이〉라는 작품을 발표하였을 때, 신문기자이자 미술평론가 루이 르루아(Louis Leroy)가 "인상은 확실"하지만 "유치한 벽지보다 못하다"고 조롱하는 등 당시 평단은 물론 대중들도 외면을 하였다. 또 걸작 〈풀밭 위의 점심〉을 그린 화가 마네 역시 작품 발표 후 오랫동안 비평가들의 혹평과 관객들의 외면 속에 이해받지 못하는 삶을 살아야만 했다. 그러나 훗날 이들 작품이 훌륭한 예술작품으로 재평가 받을 수 있었던 것은 그림에 대한 사회의 인식의 변화가 주요 요인이지만, 그 작품들이 예술작품으로서 갖추어야 할 창작활동의 정당한 결과물이었을 뿐만 아니라 화가들이 지속적인 예술 활동을 통해 자신의 창작물이 예술작품임을 증명했기 때문에 가능했다.

이러한 예술 활동의 독특한 성격은 예술가와 예술작품을 판단하는 중요한 기준이기에, 그 가치는 사회적으로도 적극적인 보호를 받고 있다. 예술작품을 저작권법에서 보호하는 것은 그것이 인간의 직접적인 특수한 활동의 결과로서 다른 것으로 대체될 수 없는 고유의 가치를 지니고 있기 때문이다. 물론 기술의 발달과 예술창작의 사회적, 물질적 조건의 변화에 따라 구체적인 창작방법은 부단히 변화하고 있다. 그러나 한 작품이 예술작품으로서 인정과 보호를 받기 위한 기본 조건은 반드시 인간의 창의적인 예술적 노동이 발휘되어야 한다는 점이다. 설사 작품창작의 많은 과정을 기계나 도구에 의존하여 뛰어난 결과물을 만들어 내는 '첨단' 예술 활동이라도, 그 산물이 예술로서 인정받으려면 예술창작 과정에서 인간이 어떻게 직접 참여하여 창의적인 결과를 만들어 냈는지를 증명할 수 있어야 한다.

고등학교 「문학」, 「사회」 활용

(다) 2018년 10월 25일, 세계적인 미술품 경매 회사인 크리스티 경매장에서 한 초상화가 43만 2000달러(약 5억원)에 낙찰됐다. 언론은 이 소식을 각국으로 전했고, 전세계 미술계는 충격에 빠졌다. '에드먼드 벨라미의 초상화(Portrait of Edmond Belamy)'라는 제목의 이 그림은 아주 오래된 느낌을 주었는데, 얼굴 형체가 뚜렷하지 않고 여백이 많아 미완성 작품처럼 보였다. 그렇지만 논란을 일으킬 만큼 문제가 있는 수준의 그림은 아니었다.

논란의 핵심은 작품의 수준이나 완성도가 아니라 바로 작가였다. 이 작품을 그린 건 인간이 아닌 다른 존재, 바로 인공지능이었기 때문이다. 이 작품을 그린 것은 파리의 인공지능 연구기관인 오비어스가 개발한 GAN(Generative Adversarial Network, 생성적 대립 신경망) 기반의 AI화가였다. 이 작품은 14~20세기에 그려진 초상화 1만 5000개를 토대로 알고리즘과 데이터를 사용해 만들어졌다. 그림을 완성하기 위해, 알고리즘이 그린 이미지와 데이터에 있는 초상화 작품들과 차이가 없을 때까지 비교하는 과정을 거쳤다. 이러한 과정을 거쳐 예술 작품은 인간만이 창작할 수 있다는 기존의 생각을 넘어서는 새로운 그림이 탄생했다. 이 작품의 경매가 이루어진 이날은 인공지능이 그린 그림이 미술계에서 처음으로 예술적 상품으로 소비된 순간이었다. 2022년 8월 26일, 이날 역시 미술계에서 특별한 날로 기억될만하다. 미국 '콜로라도 주립 박람회 미술대회'의 디지털 아트 부문에서 '스페이스 오페라 극장(Théâtre D'opéra Spatial)'이 대상을 거머쥐었다. 오페라 공연이 한창인 무대를 섬세하게 화폭에 담아내고 있는 작품이었다. 작품 속에서는 눈부신 햇살이 내리쬔 대형 원형창 너머로 또 다른 세계가 펼쳐졌다.

이를 바라본 여인들의 뒷모습에선 경건함을 느낄 수 있을 정도였다. 중세시대를 소환한 듯한 이색적인 분위기 또한 이채로웠다. 하지만 게임 기획자인 제이슨 M. 앨런에 의해 제출된 이 작품은 정작 그의 손으로 그린 것이 아니었다. 그의 손이 닿은 것은 맞지만, 엄밀하게 말해서 앨런의 손이 한 일은 명령어를 입력하는 정도였다. '스페이스 오페라 극장'은 텍스트로 된 문구만 입력하면 몇 초 만에 이미지로 바꿔주는 '미드저니'란 AI 프로그램으로 그려졌기 때문이다. 앨런은 미드저니로 생성한 3개의 그림을 전시회에 제출했고 이 가운데 '스페이스 오페라 극장'이 1위를 차지한 것이다.

이 미술대회에서는 창작과정에서 디지털 기술을 활용하거나 색깔을 조정하는 등 디지털 방식으로 이미지를 편집하는 행위는 인정된다고 공고했다. 작가에 대한 논란이 일어나자 제이슨 M. 앨런은 "이번 대회에 작품을 제출할 때 '미드저니를 거친 제이슨 M. 앨런'이라고 명시하면서 AI로 작품을 생성했다는 점을 밝혔기 때문에 작품의 출처 역시 속인 사실이 없다"고 항변했다. 그는 "나는 어떤 규칙도 어기지 않았다"며 미술대회 주최 측이 제시한 규정을 준수했다고 주장했다. 미술대회 주최 측도 앨런 편에 섰다. 심사위원들은 "미드저니가 AI란 사실을 몰랐다"면서도 "알았더라도 이 작품에 상을 줬을 것"이라며 이 작품의 예술성을 옹호했다. 논란이 불거진 뒤에도 이 작품의 대상 수상은 취소되지 않았다.

고등학교 「문학」, 「통합사회」, 「사회·문화」 활용

(라) 프랑스의 시인이자 비평가인 폴 발레리는 기술이 예술에 미치게 될 영향력을 예견하고 다음과 같이 말했다. "우리는 엄청난 혁신들이 예술의 테크닉 전체를 변모시키고, 그로써 예술의 창작 과정 자체에 영향을 끼치며, 결국에는 예술의 개념 자체를 가장 마법적인 방식으로 변화시키는 데까지 이를지 모른다는 점을 각오하지 않으면 안 된다." 실제로 새로운 기술의 등장은 예술의 다양한 측면을 변화시켰고, 이 변화에 따라 예술의 형태와 개념 그리고 의미가 달라졌다. 기술의 발전에 따라 예술을 평가하는 기준과 작품을 통해 얻는 미적 경험까지도 변화했다. 사진의 역사는 새로운 기술의 등장이 예술에 끼친 변화를 보여주는 적절한 사례이다.

발명 초기 사진은 예술과는 거리가 먼 과학 기술의 하나로만 간주되었다. 당시 많은 예술가, 학자는 사진을 그저 기록을 위한 것으로만 바라볼 뿐 예술로 인정하기를 거부했다. 그러나 사진이 담아내는 뚜렷한 현실 이미지는 재현에서 벗어난 현대 미술의 변화를 촉구했다. 사진이 탄생한 뒤에 미술가들은 정밀하게 있는 그대로를 그릴 필요가 없어졌다. 정밀한 그림의 가치는 사라져 버렸고. 화가들은 사진과 다르게 그려야만 했다. 거친 터치, 빛의 재해석이 생길 수밖에 없었으며 우리에게 익숙한 인상파가 등장했다. 이처럼 사진이라는 과학 기술의 산물은 인상주의 등장의 중요한 요인이었다. 기존 예술에 변화를 촉구하는 데에서 나아가서 사진은 예술로서의 시민권을 주장하고 나섰다. 사진이 예술인가 아닌가라는 논쟁은 사진이 등장한 1839년 이래 지속되다가 1862년 프랑스 최고재판소에 의해 사진이 예술이라는 판결을 통해 일단락되었다. 그 대략적인 경위는 이러하다. 초상사진 전문가인 마예르와 피에르송 두 사람은 1855년부터 파리 시내에서 사진관을 열고 동업에 들어갔다. 황제 나폴레옹 3세를 고객으로 맞이하고 나서부터 그들의 사진관은 많은 귀족과 예술계 인사들로 붐볐다. 1856년에 두 사람은 이탈리아 통일에 결정적인 역할을 했던 카보우르 백작의 초상을 제작했다. 1861년에 두 사람은 경쟁 관계에 있던 세 사람의 초상사진가들이 카보우르 백작의 초상을 가필한 사진들을 무단 복제해서 판매한다는 것을 알게 되어 위조라고 생각하고 법적 권리를 지키기로 했다. 그들은 무단 복제한 세 사람을 고소했다.

위조가 성립하려면 사진이 예술 작품이어야만 했다. 1839년에 사진이 공표된 이래로 사진이 가지고 있는 기계적인 면 때문에 순수예술로서 인정되는 뛰어난 솜씨의 수공 기법과 대비되었다. 복제 판매로 고소된 피고 측은 "사진을 어떤 식으로든 예술로 보는 것에 반대"하는 화단 인사들의 탄원서를 제출했다. 피고 측 변호인들은 사진의 자동적, 기술적 성격을 지적했다. 공방이 오간 뒤에 1862년 4월 프랑스 법정은 원고인 마예르와 피에르송의 손을 들어 주었다. 이 해에 마예르와 피에르송은 책을 내면서 "오늘, 법의 눈으로도 예술가와 대중의 눈으로도 사진은 예술이다"라고 썼다. 이로써 사진은 예술 작품이라는 합법적 지위를 얻었다. 그렇지만 사고방식이 바뀌는 데는 훨씬 많은 시간이 필요했다. 19세기는 물론 20세기 초반까지도 사진은 회화의 그늘을 벗어나지 못하고 있었다. 그 뒤 여러 나라에서 속속 사진이 예술 작품의 지위를 획득하는 판결이 이어졌고, 대중들에게도 사진은 예술 작품으로 승인되기에 이르렀다.

고등학교 「문학」, 「통합사회」, 「사회·문화」 활용

(마) 오늘날 대중화된 반 고흐의 이미지는 지나치게 신화화된 측면이 있다. 상업적 소비에 적절한 브랜드로 재구성되는 과정에서 무엇보다 심각한 왜곡은 고흐의 예술적 성취가 그가 소유했던 것들이 아니라 소유하지 못했던 것들의 결과라는 사실을 도외시하는데서 비롯된다. 고흐의 예술은 당대 사교계와의 교류의 산물이 아니라 오히려 그런 세계와의 불화로 생긴 고통의 결과이다. 반 고흐는 현실적으로는 철저히 무능한 사람이었다. 종교적으로 독실했던 그는 목사가 되어 가난하고 병든 이웃의 친구로 남고 싶었지만 허락되지 않았다. 화가가 된 뒤에도 생전에 그의 재능을 인정해주는 사람은 동생 테오를 포함하여 고작 몇 명에 지나지 않았다. 그림이 팔리지 않아 끼니를 때우기 어려운 날들이 많았고, 재능은 전적으로 무시당했으며 그럴수록 불안과 히스테리 증세는 악화되었다. 생의 마지막 순간조차 고흐는 자신의

병을 몹시 경멸하는 정신과 의사에게 맡겨졌다.

그러나 사실 반 고흐의 무능은 가난한 사람들의 친구가 되고자 했던 그의 종교적 실천과 예술적 활동의 결과일 뿐이다. 1885년에 그린 <감자 먹는 사람들>은 젊은 고흐가 탄광촌에 머물며 봉사하던 시절에 그린 그림인데, 여기에는 가난한 광부의 식탁이 보여주는 노동의 존엄함, 거칠게 그을린 피부와 깊이 주름진 얼굴이 보여주는 삶의 숭고함이 서려있다. 고흐는 램프 아래에서 감자를 향해 내민 광부의 손을 통해 그가 바로 그 거친 손으로 땅을 팠고, 그런 정직한 노동으로 가족의 먹거리를 얻었음을 보여준다. 농부나 광부의 삶을 눈에 보기 좋게 아름답고 세련되게 그려내는 것이 아니라 흙냄새가 나도록 그려냄으로써 그는 무엇이 진실한 삶과 예술인지에 대한 진지한 성찰을 촉구한다. 그렇기에 고흐의 대중적인 이미지인 살아서는 무능한 인간이자 무명의 불행했던 화가지만 사후에는 모든 영광을 독차지한 천재 예술가라는 모습에만 주목해서는 이런 진면목을 볼 수 없다. 고흐는 이렇게 말했다. "인간에게 자신의 본질과 마주하는 위대한 순간을 허락했던 사람은 황제가 아니라 굶주린 화가와 시인이었다. 우리는 고통을 받을 때까지는 누구도 자신이 누구인가를 정확하게 알 수 없다. 탁월한 화가와 시인들 덕분에 우리는 고통과 눈물의 비용을 훨씬 덜 지불하면서도 자신에 대한 소중한 깨달음을 얻으며 살아가게 된다."

진정한 예술은 언제나 고통과 상처, 소외와 고독, 억울함과 분노, 수치와 좌절 같은 실패와 상실로부터 성취된다. 그것들을 통해서만 예술은 문명의 결핍을 보충하고 공감과 사랑의 숭고한 공간을 창조할 수 있다. 우리는 그런 예술작품을 보고 깊은 감동과 공감의 전율을 느끼게 되며, 이와 같은 심미적 체험을 통해 사람들은 자신을 돌아보게 될 뿐 아니라 다른 타자들과의 유대감도 만들어낼 수 있게 된다. 이처럼 예술은 자신과 동료 인간에 대한 내적, 외적 책임감을 고양시키는 미학적 체험을 통해 인간을 보다 인간답게 만들어준다. 만약 예술이 예술가 자신의 고통에서 타인의 고통으로 나아가는 이와 같은 숭고한 미학적 경로를 더 이상 탐색하지 않게 된다면 그런 예술은 자기만족에 머물게 되거나 아니면 글로벌 산업사회의 아름다운 상품으로 전락하기 쉽게 될 것이다.

고등학교 「국어」, 「문학」, 「생활과 윤리」 활용

[문항 2] [자료 1] ~ [자료 3]을 활용하여 <다음>의 밑줄 친 주장 (B)를 반박하고, 자료들을 바탕으로 기술 혁신이 초래할 사회문제를 개선하기 위한 방안을 제시하시오. 자료에 제시된 것 이외의 모든 사항은 변하지 않는다고 가정한다. (600자 ± 60자, 40점)

─────────────< 다 음 >─────────────

기술 혁신은 국가 및 지역의 경제 발전의 핵심 요인이며, 특히 일자리 창출 및 평균 임금 상승과 연관성이 높다. (B) 최근 AI를 통한 기술 혁신이 향후 모든 사회 계층에서 임금 상승에 기여할 것으로 기대된다.

[자료 1] 2023년 현재 근로자 직업군별 저학력 근로자 비율 및 1인당 월평균 임금

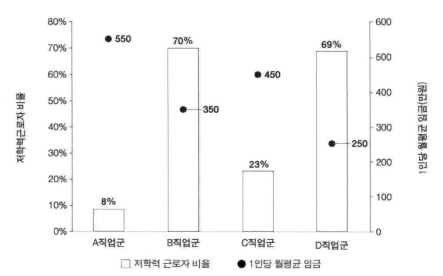

※ 저학력 근로자: 중학교 이하의 교육을 마친 근로자

[자료 2] AI 도입에 따른 2030년 직업군별 기대 실질임금 변화율 예상치(%)

	A 직업군	직업군	직업군	직업군
저학력 보유자	30	-10	15	-20
고학력 보유자	80	-5	40	-10

※ 실질임금은 물가상승 효과를 감안한 실질적인 임금을 의미
※※ 2023년 대비 2030년 실질임금 변화율 예상치를 추정

[자료 3] AI 도입에 따른 2030년 기대 일자리 증감률 예상치(%)

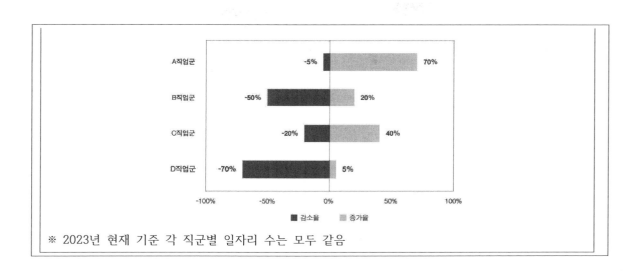

※ 2023년 현재 기준 각 직군별 일자리 수는 모두 같음

인하대학교
INHA UNIVERSITY

지원학부(과)	수 험 번 호	주민등록번호 앞6자리(예: 040512)

성 명

1번 답안

50
100
150
200
250
300
350
400
450
500
550
600
650

46

이줄 위에 답안 작성시 무효 처리됨

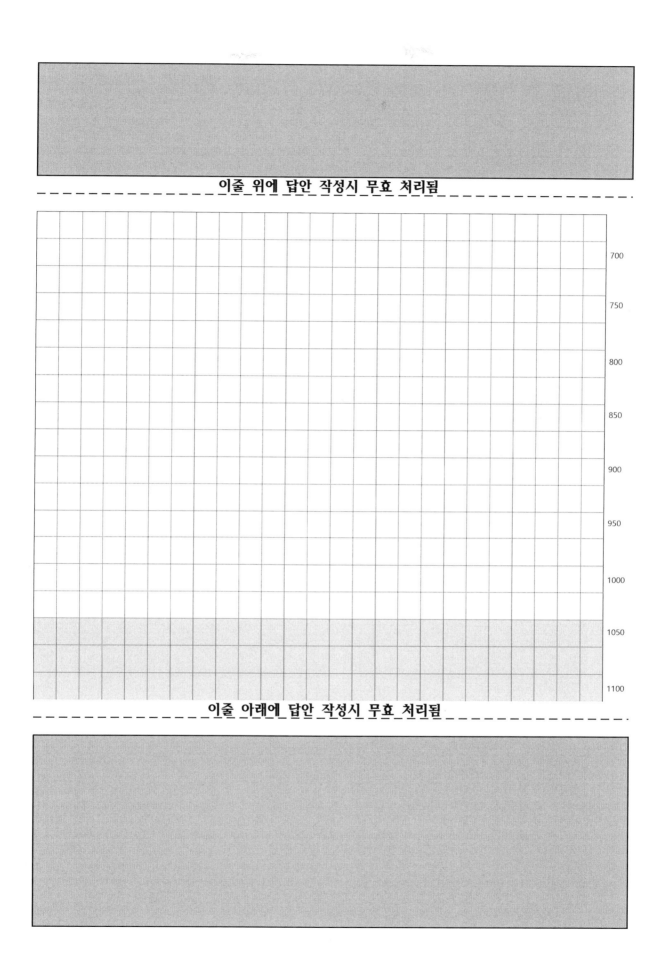

이줄 아래에 답안 작성시 무효 처리됨

이줄 위에 답안 작성시 무효 처리됨

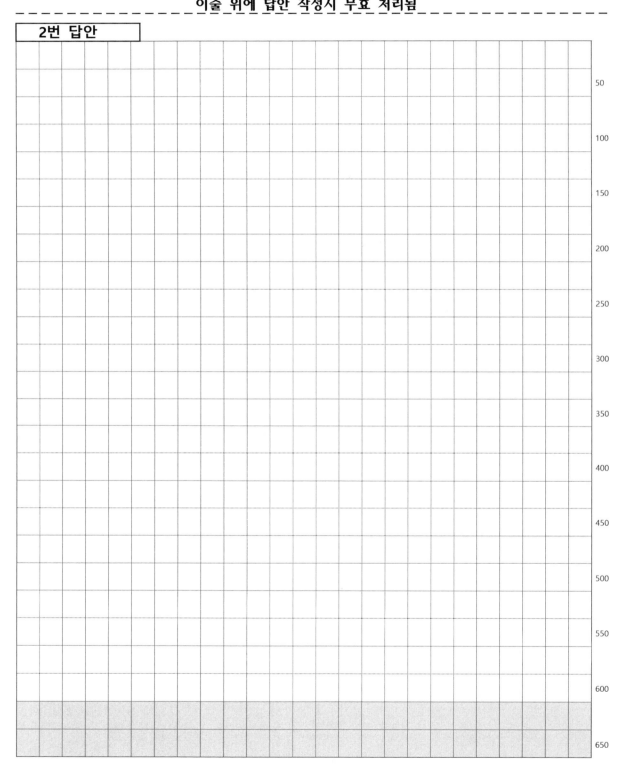

2번 답안

50
100
150
200
250
300
350
400
450
500
550
600
650

48

3. 2023학년도 인하대 수시 논술

[논제] '인하국'은 인구 감소에 대처하기 위해 결혼과 출산에 대한 직접적 지원을 시행하고자 한다. 그 재원은 독신 가구와 자녀가 있는 혼인 가구 간의 차등적 징세를 통해 마련하려 한다. 이러한 인하국의 정책에 대해 토론하는 상황이다.

[문항 1] <다음> 중 하나의 주장을 택한 후, 아래의 <조건>에 따라 논하시오.(1,000자±100자, 60점)

―――――――――――――――< 다 음 >―――――――――――――――

주장 1: 차등적 징세를 통한 직접적 결혼·출산 지원 정책에 찬성한다.	주장 2: 차등적 징세를 통한 직접적 결혼·출산 지원 정책에 반대한다.

―――――――――――――――< 조 건 >―――――――――――――――

1. 제시문 (가)~(다)를 모두 활용하여 세 가지 논거를 들어 자신의 주장을 정당화할 것.

2. 제시문 (가)~(다)를 모두 활용하여 자신의 주장에 대해 예상되는 세 가지 반론을 제시할 것.

3. 위에서 제기한 반론을, 조건 1에서 활용하지 않은 논거로 각각 재반박하여 자신의 주장을 옹호할 것

　　(제시문 밖에서 논거를 찾는 것도 가능함).

4. 제시문의 문장을 그대로 옮기지 말 것.

[문항 2] 제시문 (라)의 [자료 1]~[자료 4]를 활용하여 아래의 <조건>에 따라 논하시오. (600자±60자, 40점)

── < 조 건 > ──

1. [자료 1]~[자료 4] 중 [문항 1]에서 자신이 선택한 주장을 뒷받침하는 자료를 두 개 선택할 것.

2. 선택한 자료를 해석하고 이를 토대로 자신의 주장을 정당화할 것.

(가) 결혼은 두 사람이 부부가 되는 의례이자 계약이며, 국가나 종교 기관에 등록하여 법적·사회적으로 공인받는 제도적 절차를 거쳐 성립된다. 결혼으로 형성된 가정은 사회의 최소 단위로 재생산을 통한 종족 보존의 주요 기능을 수행하기에 결혼 관계는 대부분의 나라에서 법적·사회적 구속력을 지닌다. 많은 사회가 어떤 형태로든 혼인에 대한 법과 규범을 마련해 온 이유가 여기에 있다. 역사적으로 결혼은 약 1만 년 전 농경사회의 시작과 함께 나타났다. 결혼에 관한 가장 오래된 규범은 기원전 7천 년 경부터 메소포타미아에 모여 살며 농사를 짓기 시작한 수메르인의 '우르남무(Ur-Nammu) 법전'에서 찾아볼 수 있다. 여기에는 남편이 아내를 간통으로 고소하였으나 아내의 무고가 입증되면 남편은 아내에게 1/3 미나의 은으로 보상해야 하며, 결혼을 정해 놓고도 딸을 다른 남자와 혼인시키면 딸의 아버지는 예비 사위에게 받은 예물의 두 배를 물어줘야 한다는 내용이 들어있다.

역사적으로 볼 때 결혼은 대부분의 사회에서 경제적인 면과 정치적인 면에서 매우 중요한 제도였다. 결혼은 사유재산권이 등장하면서 가계가 형성한 지위와 재산을 자손에게 물려줄 수 있는 유용한 수단이 되었다. 또한 결혼은 유력한 가문들이 사회적 네트워크와 정치적 영향력을 확장할 수 있는 방법이며, 군사동맹을 맺고 평화 조약을 체결시키는 수단으로도 이용되었다. 그러나 18세기 말에 이르면 결혼에 대해 지금과 같은 개인주의적 관점이 도입되고, 결혼의 결정에 있어서도 사랑이나 동반자와 같은 현대적 개념이 중요한 요소로 등장하게 된다. 산업화, 도시화, 중산층의 증가와 함께 사람들은 전통적인 대가족제에서 벗어나 자신의 선택에 기초한 새로운 방식으로 가정을 형성하게 되었다. 18세기의 계몽주의 사상가들은 행복 추구를 개인의 정당한 권리로 보았으며, 결혼도 교회나 국가가 지나치게 간섭해서는 안 되는 개인의 권리라고 주장하였다. 개인의 행복과 사랑이 결혼의 주요 이유가 되면서 결혼을 통해 가계를 승계하고 가문의 부와 지위를 추구하던 전통적인 기능은 약화되었다. 이제는 결혼을 하지 않는 것도 개인의 자유로운 선택으로 존중되고 있다.

현대사회에서도 가정은 대부분 결혼을 통해 형성된다. 부모와 자녀로 구성된 핵가족 시대에도 가정은 사람들이 서로 접촉하는 최초의 사회적 환경을 제공한다. 누구나 가장 친밀한 혈연관계인 가정생활을 통해 사회활동에 필요한 바람직한 애착 관계를 형성하는 방법을 배우게 된다. 또한 부모를 모방하고 형제들 사이에서 자신의 역할을 수행하면서 아이들은 사회화에 필요한 사고방식과 도덕성도 학습하게 된다. 그러나 사회가 빠르게 변화함에 따라 그동안 가정이 주로 제공했던 심리적 안정감과 가족 구성원의 돌봄 기능, 그리고 사회의 가치와 규범을 가르치는 사회화 기능이 점차 다른 영역으로 분산되고 있다. 특히 학교와 같은 교육기관의 기능이 다양해지고, 육아나 노인 돌봄 등이 국가의 복지제도와 공공 및 민간 기관으로 흡수되면서 가정의 기능과 역할은 점차 축소되는 실정이다. 이처럼 가족과 가정의 모습이 급격하게 변하면서 결혼에 대한 기존의 생각도 빠르게 바뀌고 있으며, 그에 따라 혼인과 출산 기피, 이혼 증가가 노동력 부족과 인구 감소를 야기하는 주요 사회문제로 떠올랐다. 그렇지만 사회가 고도로 발달할수록 개인은 치열한 경쟁 속에서 자신의 욕구를 실현하는 데 더 많은 시간과 자원을 투자하게 되기에 이런 사회 변화의 추세를 바꾸기는 쉽지 않다.

결혼의 보편성이 흔들리면서 독신, 동거, 대안 가족 등 결혼을 대신할 수 있는 다양한 생활방식이 빠르게 대두되고 있다. 특히 주목할만한 것은 전 세계적 현상으로 등장한 1인 가구의 증가이다. 1인 가구는 대체로 모든 연령대에서 증가하고 있지만 흥미롭게도 자아실현 욕구가 강한 청년층의 경우 그 증가 폭이 상대적으로 가파르다. 청년층 1인 가구의 경우 자신에게 시간과 재화를 많이 투자하며 사회생활도 활발한 편이다. 그런데 청년층 1인 가구가 40퍼센트에 달하는 시대는 노인 인구가 40퍼센트에 이르는 것과는 차원이 다른 새로운 과제를 낳는다. 1인 가구가 증가할수록 과거에 가족 중심의 가정이 담당했던 많은 기능을 앞으로는 사회와 국가가 맡게 될 것이다.

고등학교 『윤리와 사상』, 『통합사회』, 『사회·문화』 활용

(나) 『네 이웃의 식탁』은 4가구의 모습을 통해 현대가정의 단면을 잘 보여주는 소설이다. 추진력 있고 활달한 홍단희의 네 식구, 6촌 언니의 약국에서 보조일을 하는 서요진의 세 식구, 프리랜서 그림작가인 조효내의 세 식구, 생활력이 강한 강교원의 네 식구. 이들은 서너 가족이 생활하기에는 비좁고 낡은 빌라와 원룸을 전전하는 등 보육은 물론 경제적인 여건이 불안한 사람들이었다. 그런 의미에서 '꿈미래 실험 공동주택'은 이들 가정에게 매우 좋은 기회였다. 그 신청 자격은 꽤 까다로워 '만 42세 미만으로 한국 국적을 지녔으며 자녀가 1인 이상 있는 부부'라는 조건을 충족해야 했다. 그리고 입주 후 자녀를 최소 셋 이상 갖도록 노력하면 최소 10년 이상의 장기 거주를 보장해주었다. 외벌이 부부와 자녀를 2인 이상 둔 부부를 우대한다는 사항에서 알 수 있듯이, 이는 일반 서민을 대상으로 한 복지정책과 달리 출산능력은 있지만 경제적 어려움을 겪고 있는 가족을 대상으로 한 국가의 직접적인 출산장려 정책이었다. 도심에서 30분 정도 떨어진 외곽에 생활 편의시설은 부족했지만, 정부가 전원 속 빌라를 파격적인 수준의 저렴한 전세가로 제공해서인지 입주자 선발 경쟁률이 20:1에 달할 정도로 치열했다. 입주 신청 동기의 90%가 도시에서 버티기 어려운 전세금이었다는 점을 볼 때 모두가 세 명의 자녀를 갖

겠다는 마음은 아니었을 것이다. 그렇다 해도 안정적인 주거환경만 보장된다면 세 자녀 가족 계획을 받아들일 가정도 적지 않았던 것으로 보인다.

어렵게 당첨된 전체 12가구 중 먼저 4가구가 입주했고, 이들은 곧 육아와 건물관리를 포함하여 특별한 공동생활을 하게 된다. 이는 '꿈미래 실험 공동주택'이라는 이름에 부응했다기보다는, 도심과 연계된 대중교통의 부족, 어린이집·유치원 등 육아·교육 시설과 생활기반 시설 미비 등의 문제를 입주민이 스스로 해결하기 위해 선택한 생활방식이었다. 그중에서도 가장 중요한 것은 육아 문제였다. 인근에 이용할 수 있는 보육시설과 유치원이 마땅치 않은데다, 단순한 보육이 아닌 다양한 내용의 아동교육을 위해서는 개별 육아보다 공동육아가 더 경제적이고 효과적이라고 여겼던 것이다. 공동육아를 중심으로 시작된 새로운 환경에서의 생활은 전에 비해 안정적이고 경제적인 도움도 적지 않았다.

하지만 육아와 생활상의 큰 부담을 덜어내기에는 부족했을 뿐 아니라 예기치 못한 문제에 부딪히기도 했다. 공동육아라고 하지만 아이들 돌봄 노동은 대부분 여성의 몫이다. 여성들은 여전히 육아 활동으로 지쳐 있다. 특히 아이를 출산한 지 6개월 밖에 안 되고 매일 출판사의 독촉으로 밤샘 작업에 지쳐 있는 조효내는 오히려 개별 육아 때보다 자신의 그림 작업시간이 더 부족하다고 여긴다. 그러다 보니 공동생활에서 자신이 맡은 일을 처리하거나 전체 모임에 참여하는 데도 소극적이다. 이런 그녀에 대해 공동체 생활을 주도하는 홍단희는 기본적인 성의가 없다고 마땅치 않게 여긴다. 약국 보조일로 매일 늦게 퇴근하는 서요진 역시, 영화감독을 꿈꾸는 무직자 남편이 육아를 맡고 있기는 하지만 공동육아를 위한 밑반찬 만들기와 온갖 자질구레한 일은 그녀의 차지가 된다. 한편 홍단희의 남편은 차가 고장이 나 출퇴근하는 데 어려움을 겪게 된다. 대체할 수 있는 대중교통이 없었기 때문이었다. 서요진은 내키지는 않았지만, 이웃의 난감한 상황을 마냥 외면할 수도 없어 홍단희의 남편과 카풀을 하게 된다. 그 과정에서 서요진은 홍단희 남편의 과도한 호의에 불편하다는 의사를 표시하고 싶었지만, 사정을 모르는 사람들이 오히려 자신을 남의 성의를 곡해하고 이웃 관계나 깨는 여자로 보지 않을까 곤혹스러워한다.

얼마 후 '꿈미래 실험 공동주택'의 일부 가정에서는 이런저런 이유로 부부 사이와 이웃 관계에 문제가 생기게 된다. 서요진이 홍단희 남편과의 불편한 관계를 피해 친정으로 가버리자 그녀의 남편도 뒤이어 떠난다. 이어 일과 가정 대소사를 떠맡다 지쳐버린 조효내도 남편과 갈라서고 그곳을 떠난다. 그러나 강교원은 애초 그 주택이 부부 중 한 명이 육아에 전념할 수 있게 계획된 곳인 만큼 자기 가족에게는 적합하다고 생각한다. '꿈미래 실험 공동주택'에서 강교원이 셋째 아이를 임신했을 즈음, 둘째 아이를 갖기 위해 직장마저 퇴직한 또 다른 외벌이 가정이 새로운 보금자리를 찾아 입주한다.

고등학교 『문학』, 『통합사회』, 『윤리와 사상』 활용

(다) 기원전 1세기 말의 로마에서는 자식을 적게 낳는 풍조가 뚜렷해졌다. 아우구스

투스 시대에는 아예 결혼조차 하지 않는 사람이 늘어났다. 이 시기의 로마가 가난하고 장래에 희망을 가질 수 없었던 것은 아니다. 아니, 그와는 정반대였다. 다만 자녀를 낳아서 키우는 일 외에도 쾌적한 인생을 보내는 방법이 늘어났을 뿐이다. 여자들은 결혼하지 않으면 사회적 발판을 마련할 수 없기 때문에 결혼하긴 했지만, 남편과 사별하거나 이혼하여 독신으로 돌아가도 불편한 점은 거의 없었다.

기원전 18년, 아우구스투스는 이러한 풍조가 국가의 존립을 위태롭게 한다고 판단했다. 독신 증가와 출산 기피로 인구가 감소하면 무엇보다 군인을 충원할 수 없었기 때문이다. 로마의 군대는 공동체 수호의 확고한 이념을 가진 시민으로 이루어졌다. 로마인이 생각한 시민은 공동체의 자치에 참여할 권리를 갖는 동시에 공동체를 방어할 의무를 갖는 사람이었다. 번영기의 로마 군대는 외국에서 모은 용병들이 아니라 로마의 시민들로 구성된 중무장 보병대였다. 로마군은 당시 세계의 실질적 지배자였다. 로마군이 전투에서 승리하여 사로잡은 포로와 획득한 노획물은 로마제국 번영의 기반이 되었다.

로마가 정복한 나라들은 모두 로마의 속주가 되었으며, 토착민은 로마 관리의 지배를 받았다. 토착민은 엄청난 세금을 바치고 곡식도 로마로 보내야 했다. 노동력과 세수의 증가로 향상된 경제력을 토대로 로마인은 제국 전역으로 갈래갈래 뻗어 있는 포장도로를 닦았고, 수도를 설비하여 맑은 샘물과 목욕 시설을 만들었으며, 실용적 건축 양식과 합리적인 로마법을 남겼다. 로마군은 로마제국의 경제적 번영과 문화적 융성을 지탱하는 기둥이었다. 이런 로마군의 모태인 지도적 시민 계급의 인구 감소는 곧 제국의 위기를 의미했다.

이러한 위기에 대응하여 아우구스투스는 '정식 혼인에 관한 율리우스법'(이하 율리우스법)을 제출했다. 율리우스법의 성립으로 25세부터 60세까지의 남자와 20세부터 50세까지의 여자는 결혼하지 않으면 독신의 불이익을 감수해야 했다. 로마 시민권을 가진 남자라도 자녀가 없으면 경제적인 불이익을 면할 수 없었다. 첫아이가 태어나야만 비로소 법정 상속인이 아닌 다른 사람에게 유산을 상속할 권리나 상속받을 권리를 가질 수 있었다. 친구나 친지에게도 유산을 상속하는 것이 일반적이었던 고대 로마에서는 이 법률이 큰 영향을 미쳤다. 변호는 무보수로 하도록 정해져 있던 로마에서 키케로가 부자가 될 수 있었던 것은 변호해 준 사람들의 유산을 상속받았기 때문이다.

율리우스법은 상대적으로 독신 여성에게 불리하게 작용했다. 여자는 이른바 '독신세'로 보아도 무방할만큼 재산상의 불이익을 감수해야 했다. 자식이 없는 독신 여성은 50세가 넘으면 어떠한 상속권도 인정받지 못했다. 뿐만 아니라 그 독신 여성이 5만 세스테르티우스 이상의 재산을 갖고 있으면 50세가 넘자마자 이것을 유지할 권리마저 잃게 된다. 재산이 몰수되어 국고로 들어가는 것은 아니지만 다른 사람에게 양도해야 했다. 2만 세스테르티우스 이상의 재산을 가진 여자는 50세 이전이라도 결혼할 때까지는 해마다 재산에서 들어오는 수입의 1퍼센트를 직접세로 국가에 바치도록 규정되었다.

율리우스법의 기본 정신은 독신자들이 자녀를 낳아 키움으로써 국가에 봉사하지 않았으니, 즉 국가에 대한 의무를 다하지 않았으니 사유재산 보호를 이념으로 삼고 있는 로마법의 기본권도 누릴 자격이 없다고 간주한 것으로 보인다. 아우구스투스가 제출한 율리우스법은 로마제국의 인구 감소 추세를 멈추게 했다. 아우구스투스 이후의 로마 황제들도 율리우스법을 제국 운영의 기본 정책으로 중시하는 태도를 보였다. 이것이 로마제국의 쇠퇴를 막고 상당 기간 번영하는 데 중요한 역할을 했다고 평가된다. 『로마제국 쇠망사』에서 에드워드 기번(Edward Gibbon)은 이를 일컬어 '제국의 위력은 인구에 있다'는 말로 설명한 바 있다. 개인의 자유와 인권을 존중하는 계몽주의 사상을 거친 오늘날 율리우스법은 논란의 여지가 있다. 하지만 자식을 적게 낳으려는 풍조와 그에 대한 대책을 고민하는 오늘날의 많은 국가들에게 로마제국의 사례는 남의 일이 아닌 것처럼 보인다.

고등학교 『통합사회』, 『세계사』, 『생활과 윤리』 활용

(라) [자료 1]~[자료 4]는 인하국의 인구 정책에 대한 찬성 혹은 반대의 논거로 사용할 수 있는 자료다. 각 자료에 제시된 내용 이외의 요인들은 고려하지 않기로 한다.

[자료 1]

〈자료 1-1〉은 인구, 국내총생산(GDP), 지리적 특성 등 거시적 환경이 비슷한 40개국을 GDP 대비 주택시가총액, 비정규직 근로자 비율, 1인당 GDP 대비 자녀 양육비에 따라 두 집단으로 나눈 후, 각 집단의 변수별 평균값을 정리한 표이다. 〈자료 1-2〉는 두 집단에 속한 국가들을 GDP 대비 출산지원 재정지출이 차지하는 비중과 합계 출산율에 따라 분류한 그림이다(각 동그라미는 각 국가를 나타낸다). B 집단의 특성에 가까운 한 국가가 이 자료를 바탕으로 중장기 출산장려 정책을 수립하고자 한다.

〈자료 1-1〉 40개국의 집단별 변수의 평균값

변수	A 집단 평균	B 집단 평균
GDP 대비 주택시가총액	133%	212%
비정규직 근로자 비율	27.5%	38.4%
1인당 GDP 대비 자녀 양육비	4.3	7.5

* 변수별 수치는 최근 10년간 평균치로 계산
* 주택시가총액: 한 나라의 전체 거주용부동산(주택)의 가격을 합산한 금액
* 비정규직 근로자 비율: (비정규직 임금근로자 수/전체 임금근로자 수)×100 (%)
* 1인당 GDP 대비 자녀 양육비: 자녀 1명을 출생부터 18세까지 기르는 데 드는 비용을 1인당 GDP로 나눈 것

〈자료 1-2〉 40개국의 GDP 대비 출산지원 재정지출에 따른 합계 출산율

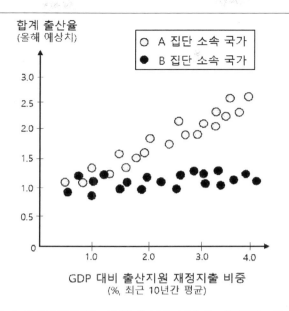

합계 출산율
(올해 예상치)

○ A 집단 소속 국가
● B 집단 소속 국가

GDP 대비 출산지원 재정지출 비중
(%, 최근 10년간 평균)

* 합계 출산율: 여성 한 명이 가임기간(15세~49세)에 낳을 것으로 예상되는 평균 출생아 수
* GDP 대비 출산지원 재정지출 비중(%): 출산장려금 등 저출산 문제 해결을 위한 직접적 지원에 사용되는 정부의 재정지출이 전체 GDP에서 차지하는 비중

[자료 2]

〈자료 2-1〉은 경제협력개발기구(OECD) 회원국 중 인구, 경제 수준, 지리적 특성 등 거시적 환경이 서로 비슷한 A, B, C, D, E국의 출생률과 출생률의 증감률, 그리고 가구형태별 실질세부담률을 정리한 표이다. A국 정부는 이 자료를 바탕으로 향후 중장기 조세정책을 수립하고자 한다.

〈자료 2-1〉 각국의 출생률, 출생률의 증감률 및 가구형태별 실질세부담률

국가	출생률 (올해 예상치)	출생률의 증감률 (%, 최근 3년간 평균)	가구형태별 실질세부담률 (%, 최근 10년간 평균)	
			2자녀 외벌이	무자녀 독신
A국	7.0	-0.3	24.0	26.5
B국	8.2	0.1	20.5	35.7
C국	9.4	0.2	15.9	38.3
D국	19.1	-0.2	21.1	23.9
E국	12.0	0.0	22.5	29.5
OECD 전체 평균	12.1	0.0	25.6	32.5

* 출생률: 특정 해에 태어난 신생아 수를 그해의 인구로 나눈 것(인구 1,000명당 신생아 수)
* 출생률의 증감률: (당해년도 출생률-직전년도 출생률)×100/직전년도 출생률 (%)
* 실질세부담률: 소득세와 사회보험료가 임금에서 차지하는 비율 (%)

[자료 3]

먹이 양에 따른 생쥐 군집 크기의 변화를 살펴보기 위해 다음과 같은 실험을 진행했다. 실험공간을 세 군데(A, B, C) 마련하여 각 공간에 암컷 6마리와 수컷 6마리씩 풀어놓았다. 다른 모든 조건을 동일하게 만든 상태에서 매일 일정 시간에 배급되는 먹이의 양을 실험공간별로 달리하였다. 실험 시작일로부터 500일까지는 실험공간

A, B, C에 전체 개체의 100%, 90%, 90%(순서대로 A, B, C)가 먹을 수 있는 양을 배급했다. 500일 이후부터 실험이 종료되는 1,000일까지는 이 수치를 100%, 100%, 90%(순서대로 A, B, C)로 조정했다. 햇빛, 온도, 습도 등은 생쥐가 살기에 적합하도록 조절했으며, 생쥐를 위협하는 외부 요인들은 모두 차단했다. 실험 결과는 〈자료 3-1〉과 같다.

<자료 3-1> 경과일별 생쥐 개체 수 추이

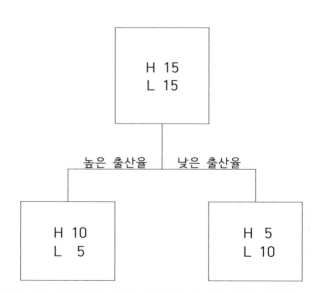

[자료 4]

경제협력개발기구(OECD) 내 30개 국가를 표본으로 구성하여, GDP 성장률 상위 15개 국가는 고성장률 국가(H)로, 하위 15개 국가는 저성장률 국가(L)로 표기하였다. 〈자료 4-1〉은 출산율을 기준으로 표본을 나누었다. 〈자료 4-2〉는 동일한 표본을 결혼장려금 지급 여부에 따라 나눈 뒤, 출산율에 따라 다시 구분하였다.

<자료 4-1> 출산율에 따른 구분

```
              ┌──────────┐
              │   H 15   │
              │   L 15   │
              └────┬─────┘
         높은 출산율  │  낮은 출산율
       ┌─────────┴─────────┐
  ┌─────────┐         ┌─────────┐
  │  H 10   │         │  H 5    │
  │  L 5    │         │  L 10   │
  └─────────┘         └─────────┘
```

* 해석 예: 좌측 하단 상자에서 'H 10'은 GDP 고성장률 국가가 10개, 'L 5'는 GDP 저성장률 국가가 5개인 것을 의미함

56

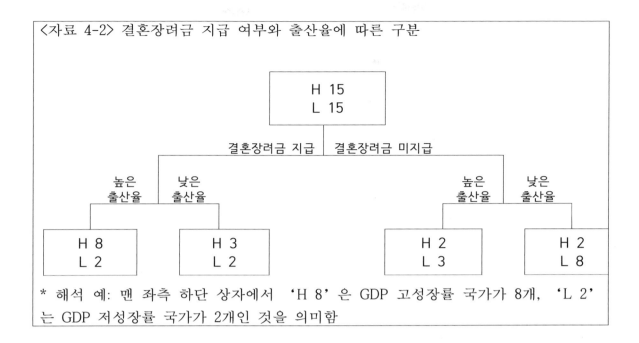

<자료 4-2> 결혼장려금 지급 여부와 출산율에 따른 구분

H 15
L 15

결혼장려금 지급　결혼장려금 미지급

높은 출산율　낮은 출산율

높은 출산율　낮은 출산율

H 8
L 2

H 3
L 2

H 2
L 3

H 2
L 8

* 해석 예: 맨 좌측 하단 상자에서 'H 8'은 GDP 고성장률 국가가 8개, 'L 2'는 GDP 저성장률 국가가 2개인 것을 의미함

인하대학교
INHA UNIVERSITY

1번 답안

																				50
																				100
																				150
																				200
																				250
																				300
																				350
																				400
																				450
																				500
																				550
																				600
																				650

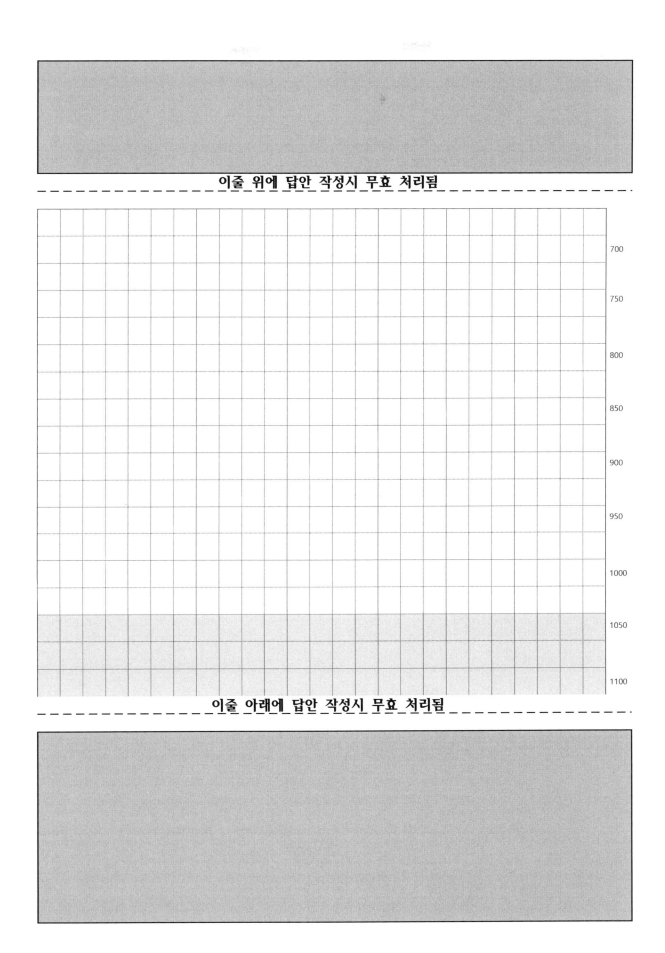

이줄 위에 답안 작성시 무효 처리됨

700

750

800

850

900

950

1000

1050

1100

이줄 아래에 답안 작성시 무효 처리됨

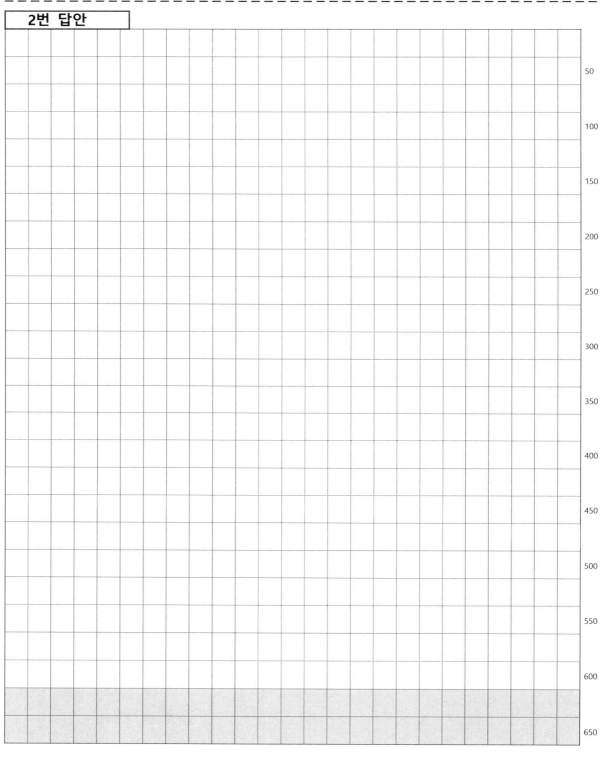

이줄 위에 답안 작성시 무효 처리됨

2번 답안

50
100
150
200
250
300
350
400
450
500
550
600
650

60

4. 2023학년도 인하대 모의 논술

[논제] 국제정치 질서를 설명하는 관점에는 현실주의와 자유주의가 있다. 현실주의는 국가 간의 관계를 약육강식의 상태로 보아, 저마다 자국의 생존을 최우선으로 하기에 국가들이 서로 협력하기 어렵다고 주장한다. 반면 자유주의는 제도와 기구를 통해 국가의 행동을 규제할 수 있고, 국가 및 다양한 행위자들의 상호작용으로 국가 간 협력이 가능하다고 주장한다. 국제정치 질서를 바라보는 관점에 대해 토론하는 상황이다.

[문항 1] <다음> 중 하나의 주장을 택한 후, 아래의 <조건>에 따라 논하시오. (1,000자 ±100자, 60점)

───────────────< 다 음 >───────────────

| 주장 1 : 현실주의 관점을 지지한다. | 주장 2 : 자유주의 관점을 지지한다. |

───────────────< 조 건 >───────────────

1. 제시문 (가) ~ (다) 가운데 세 개를 활용하여 자신의 주장을 정당화할 것.
2. 제시문 (가) ~ (다)를 모두 활용하여 자신의 주장에 대해 예상되는 세 가지 반론을 제시할 것.
3. 위에서 제기한 반론을, 조건 1에서 활용하지 않은 논거로 각각 재반박하여 자신의 주장을 옹호할 것.
4. 제시문의 문장을 그대로 옮기지 말 것

[문항 2] 제시문 (라)의 <자료 1>~<자료 4>를 활용하여 아래의 <조건>에 따라 논하시오. (600자±60자, 40점)

─────── < 조 건 > ───────

1. [자료 1] ~ [자료 4] 중 [문항 1]에서 자신이 선택한 주장을 뒷받침하는 자료를 두 개 선택할 것.
2. 선택한 자료를 해석하고 이를 토대로 자신의 주장을 정당화할 것

(가) 탈냉전 시대 이후 세계화의 확산과 더불어 국가 간의 상호의존성이 점차 커지고 있다. 많은 국가들은 자국의 경제적 이익뿐 아니라 세계평화를 위해서도 국제기구에 적극 참여하여 회원국 간의 협력을 증진시켜야 한다는 점에 동의한다. 하지만 국제기구가 절대적 권한을 행사하는 초국가적 정부가 되는 것에 대해서는 입장이 다른 것도 현실이다. 일부는 주요 국제기구가 소수의 강대국을 중심으로 한 일방적 조직으로 편성되는 점에 대해 문제를 제기하기도 한다.

국제기구를 바라보는 하나의 입장으로 현실주의가 있다. 이 관점의 기원은 고대 그리스의 역사가인 투키디데스의 『펠로폰네소스 전쟁사』에 나오는 "멜로스의 대화"(the Melian Dialogue)에서 찾을 수 있다. 내용은 이렇다. 고대 그리스의 패권국이던 아테네는 약소국인 멜로스를 침략한다. 그러자 멜로스는 스파르타와 아테네 간의 전쟁에서 자신들은 중립을 지키겠다고 선언한다. 하지만 아테네는 강자가 약자를 지배하는 것은 자연의 법칙이라며 멜로스의 중립을 인정하지 않고 정복한다. "멜로스의 대화"는 국제질서를 좌우하는 것은 정의가 아니라 패권국의 힘의 논리라는 점을 잘 보여준다. 패권국의 힘은 약소국을 정복하는 데 사용되기도 하지만, 다양한 국가들 사이의 질서를 유지하는 역할을 담당하기도 한다. 실제로 패권국이 주도하는 정치질서가 잘 작동할 경우 국제 질서가 안정적으로 유지되는 것도 사실이다. 패권국은 단순히 무력에만 의지하지 않는다. 오늘날에는 국제적인 기구와 규범을 만들고, 이를 바탕으로 국제적 안정을 추구하기도 한다. 정치학자 킨들버거(Charles P. Kindleberger)는 2차 세계대전 이후 미국과 같은 패권국이 존재했기에 국제정치가 안정될 수 있었다고 주장한다. 결국 국제기구 조직이 잘 유지되는 것도 특정국가가 원하는 국제규범을 대부분 국가들이 따르도록 하는 정치, 경제, 군사적 강대국이 존재하기 때문이다. 이것이 패권안정론이다. 그러나 패권안정론도 기존의 패권국에 도전하는 새로운 국가가 등장하거나 힘의 역전이 발생할 경우 국제질서에 불안정이 초래된다. 가령 중국이 G-2 국가로 부상하면서 중국과 미국 간의 갈등이 심화되는 데서도 알 수 있듯이 국제정치에서의 국가 간 협력은 영원하기 어렵다. 현실적으로 보자면 국제기구에서도 새로운 패권국이 기존의 국제기구가 정한 조약을 지키지 않을 경우 이를 저지할만한 강제적 수단이 없는 것도 사실이다.

이와 달리 자유주의자들은 칸트적 관점에서 국제기구를 설명한다. 이들은 인간의 이성에 대한 신뢰와 마찬가지로 국제문제에 대해서도 이성이나 합리적 원칙이 적용될 수 있다고 주장한다. 이런 원칙에 의해 국가도 협력을 위한 사회적 행동에 개입

할 수 있다. 자유주의자들은 국가가 실제로는 권력과 같은 문제보다 안락과 행복을 위한 협력관계 구축에 더 관심을 가진다고 생각한다. 정치학자인 미트라니(David Mitrany)는 개개의 정부는 국민의 필요를 충분히 충족시켜줄 수 없지만 국제기구와 같은 조직은 기능적 차원에서 이런 욕구를 충족시켜줄 수 있다고 주장한다. 국제기구 덕분에 국가 간의 정보 공유가 가능하게 되어 미래에 대한 불확실성도 줄어들 수 있다. 실제로 비협력으로 개별국가가 얻을 수 있는 단기적 이익보다 협력함으로써 얻는 장기적 이익이 더 크다는 인식이 공유되고 있다. 왜냐하면 국제기구는 다자적 구조로 구성되어 있기에 특정 국가가 규칙을 위반할 경우 다른 국가들의 보복을 받게 될 수 있기 때문이다. 이러한 상호 의존성으로 인해 국제기구는 강대국이 힘을 과시할 경우 이를 제한하거나 억제할 수 있으며, 약소국에게도 정치활동의 무대를 제공할 수 있다. 나아가 국제기구는 제도로서의 일관성을 유지할 수 있기 때문에 개별국가의 대외정책 결정을 용이하게 하여 국제적 차원에서의 협력이 증진되도록 도울 수 있다. 실례로 기후위기와 같은 문제는 전 지구적 협력이 요청되는 만큼 국제기구를 통해 먼저 정책을 만들고 이를 개별국가에게 강제하는 방법이 좀 더 효과적이다.

고등학교과정 『통합사회』, 『정치와 법』, 『생활과 윤리』 활용

(나) 소위 현실주의는 도덕주의나 이상주의와 달리 당위적 관점에서 세계를 접근하지 않고 현실을 있는 그대로 보고 실현 가능한 처방을 내린다고 주장한다. 그러나 많은 도덕주의자나 이상주의자들의 문제의식도 현실에 대한 객관적 인식에 근거를 두고 있지 결코 도덕적 관념을 현실로 간주하지는 않는다. '현실주의자'로 간주되는 마키아벨리나 '이상주의자' 혹은 '도덕주의자'로 간주되는 맹자 또한 당대의 현실을 인식하는 태도나 신랄함은 전혀 다르지 않다. 마키아벨리와 맹자는 분열된 여러 국가들이 극심한 경쟁과 전쟁을 벌이던 무질서 시대에 평화와 안정을 실현할 방법을 모색했던 사상가였다. 마키아벨리가 생존했던 이탈리아는 내전과 비슷한 혼란의 상황을 겪고 있었다. 밀라노와 베니스, 피렌체, 교황국, 나폴리왕국의 5개 나라로 분열되어 있었고, 게
다가 프랑스와 신성로마제국, 스페인과 같은 강력한 나라들의 침입도 있었다. 그래서 그의 『군주론』에는 혼란을 극복하고 안정을 되찾아야 한다는 강한 바람이 나타나 있다. 맹자 역시 주(周)나라 왕실이 유명무실한 상황에서 제후국들이 상호 무력경쟁과 정복 전쟁을 추구하여 백성들의 시신이 도랑이나 구렁에 뒹굴던 이른바 '전국시대(戰國時代)'를 시대적 배경으로 하고 있다.

이러한 무질서의 근본적 원인에 대해 마키아벨리는 인간의 타고난 욕망 즉 영토 확장 욕구 때문으로 보았다. 인간은 변덕스럽고 위선적이며 기만에 능하고 이익에 눈이 어두운데, 영토 확장을 위한 경쟁 역시 그러한 본성에서 기인한다는 것이다. 마키아벨리는 이러한 냉혹한 현실에서 한 국가가 존속하기 위해서는 강력한 군주의 통치권과 함께 시민들의 애국심과 능력이 중요하다고 보았다. 시민이 중요한 것은

그들이 바로 '강한 군대'의 기초이기 때문이다. 사적 이익만을 추구하는 용병이 아니라 정기적인 훈련을 통해 단련된 애국심을 갖춘 시민을 중심으로 조직할 때 비로소 군대가 강해질 수 있다는 것이다. 그리고 시민의 자발성과 애국심을 고양시키기 위해서 군주나 귀족, 시민의 이해관계가 상호 조화를 이루고, 자유로운 정치체제와 공공성을 담보할 수 있는 법률이 필요하다고 보았다. 이러한 훌륭한 제도 아래 시민들은 자유롭게 능력을 계발하고 조국에 대한 애국심을 갖게 되며, 동료 시민들과의 연대 속에 질서정연한 군대를 형성하여 국가를 부강하게 할 수 있다는 것이다.

한편 맹자 역시 사회적 혼란의 원인은 인간의 탐욕에서 비롯된다고 보았다. 군주가 영토에 대한 사욕을 품고, 신하들도 군주의 욕망을 만족시켜 사익을 취하기 위해 전쟁을 부추김으로써 천하의 혼란이 발생하고 있다는 것이다. 이러한 무질서한 현실에 대해 맹자는 타국의 영토에 대한 탐욕과 전쟁은 결국 자국 백성들의 삶을 도탄에 빠지게 하여 지지를 상실하고, 궁극적으로는 국가의 보존마저 위태롭게 한다고 보았다. 이러한 인식에는 모든 사람은 전쟁보다는 평화를 희구하고 백성의 생명과 삶을 우선하는 군주를 지지한다는 의식, 그리고 인간은 본래 인(仁)·의(義)·예(禮)·지(知(智))의 자질을 갖추고 있으며, 탐욕은 이러한 본성에서 이탈한 비정상적 상태로 보는 의식이 전제되어 있다. 맹자가 말하는 인간의 네 가지 자질이자 덕목은 조화로운 사회의 기초이고 더 나아가서는 평화적인 국제질서의 토대이기도 하다. 국가 간의 관계에 대해 맹자는 작은 것이 큰 것을 섬기는 사대(事大)만이 아니라 큰 것이 작은 것을 섬기는 사소(事小)도 중요하다고 보았다. 이때 작고 약한 국가가 크고 강한 국가를 섬기는 것은 지(智)에서 나오고, 크고 강한 국가가 작고 약한 국가를 섬기는 것은 인(仁)에서 나온다. 맹자가 인간의 타고난 자질의 부단한 수양과 확충을 강조한 것도 바로 이러한 까닭에서였다.

고등학교과정 『세계사』, 『윤리와 사상』 활용

(다) 디오게네스는 스스로를 '나는 세계의 시민이다'라고 정의하고 사람들에게 세계 시민으로서 생각하라고 권유했다. 디오게네스를 따랐던 스토아학파는 그의 세계 시민 관념을 한층 발전시켜 우리 모두는 사실상 두 개의 공동체, 즉 우리가 출생한 지역 공동체와 인류보편적인 공동체에서 살고 있다고 이야기했다. 스토아학파는 특히 인류보편적인 공동체야말로 참으로 위대하고도 공통적인 것이라고 보았다. 세계 시민주의의 입장은 이러한 공동체를 우리의 도덕적 의무의 근본적인 원천으로 이해한다. 이 입장에 따르면, 우리는 정의와 같은 가장 기초적인 도덕적 가치를 존중하면서 모든 인류를 우리의 동료 시민이자 이웃으로 간주해야만 한다. 디오게네스가 세계 시민으로서 생각하라고 한 권유는 애국주의가 주는 위안이나 편안한 감정으로부터 벗어나서, 우리 자신의 생활방식을 정의와 선의 관점에서 바라보라는 뜻이라고 할 수 있다. 우리가 태어난 장소는 그저 하나의 우연일 뿐이다. 우리는 다른 나라에서 태어났을 수도 있다. 디오게네스를 계승했던 스토아학파는 이 점을 인지하여, 국적이나 계급, 민족적 소속감이나 심지어 성별 차이가 우리와 우리의

동료들 사이에 경계선을 세우도록 허용해서는 안 된다고 주장했다. 우리는 인간의 속성이 어디에서 나타나건 그것을 인정해야 하며, 그 인간성의 필수적 구성 요소인 이성과 도덕적 능력을 존중하고 거기에 우선 충성해야 한다. 우리 모두는 항상 동등한 관점에서 모든 인간의 이성과 도덕적 선택을 다루어야만 한다. 세계 시민이라는 관념은 칸트의 '목적의 왕국'이라는 관념의 원조이자 원천이 되었다. 칸트는 모든 사람을 수단이 아닌 목적으로 대해야 하며 인간은 모두 동등한 존재이기 때문에 차별이 없어야 한다고 주장했다. 이러한 생각은 아무리 작은 국가라도 인격처럼 목적으로 대해야 하며, 이런 국가 간의 상호의존적 교류와 교역을 통한 평화의 정착을 추구하는 '영구평화론'으로 이어졌다.

그러나 세계 시민으로서 생각하라는 이러한 권유들에 대한 반론도 만만치 않다. 그 견해들을 간단히 살펴보자. 세계 시민주의가 소중하게 여길 법한 조금 더 명확한 원리와 정책들, 즉 공공 교육과 종교적 자유와 관용, 인종적 차별과 성적 차별의 금지 등이 이루어진 사회를 우리는 흔히 복지국가라고 일컫는다. 이런 복지국가를 실현하는 사회 정책들은 막연한 세계 시민주의적인 질서가 아니라 국가에서 나오는 강력한 행정적·법적 질서에 의존하고 있다. 또한 세계 시민들의 삶의 질과 관련된 경제 개발, 환경보호 등의 다양한 문제를 해결하기 위한 국제 협력의 집행 주체는 국가이다. 즉, 세계 시민주의의 가치를 현실화할 수 있는 기본적인 단위는 국가이다. '국가적'은 '국제적'의 필수적인 일차적 구성 요소이다. 이처럼 자유롭고 민주적이며 평등하게 공유되는 복지 사회는 현실적으로는 국가적 단위로 존재하며, 그 구성원들에게 강력한 귀속 의식을 요구한다. 민주주의 체제에서도 충성심에 대한 의존도는 점점 높아지는 추세이다. 구성원들의 자발적인 지지에 의존하는 민주주의 사회는 일종의 공동 사업이고, 전체 인류보다는 같은 나라 사람들의 연대 책임을 필요로 하기 때문이다. 무엇보다도 개인이 세계 시민으로 존중 받기 위해서는 그를 안정적으로 보호하는 국가라는 현실적인 귀속 공동체가 필수적이다. 우리는 역사와 현실 속에서 국가 사이에서 발생하는 수많은 갈등과 충돌을 목격해 왔다. 이러한 충돌과 갈등이 발생 했을 때 개인을 지켜주는 건 세계 시민주의의 막연한 이상이 아니라 국가의 현실적 힘이다. 국가가 붕괴하면 국민은 난민이 된다.

고등학교 과정 『생활과 윤리』, 『윤리와 사상』, 『통합사회』 활용

(라) [자료 1]~[자료 4]는 현실주의 혹은 자유주의를 지지하는 논거로 사용할 수 있는 자료다.

[자료 1]

와인을 주로 생산하는 'A국', 자동차를 주로 생산하는 'B국', 그리고 밀을 주로 생산하는 'C국'은 자국의 주력 상품을 수출하며, 해당 상품들에 대해 <자료 1-1>과 같은 규모로 무역을 해왔다. 이 때 와인 한 박스, 자동차 한 대, 밀 1톤의 가격은 각각 2만 달러, 200만 달러, 20만 달러였다. 그러던 3개국은 자유무역협정을 체결하였고, 이에 따라 3개국 간에 와인 한 박스, 자동차 한 대, 밀 1톤의 가격은 각각 1만 달러, 100만 달러, 10만 달러로 변하였다. 이후 3개국의 무역 규모는 <자료 1-2>와 같이

변하였다. 협정 체결 후 일정한 시간이 지나 새롭게 출범한 A국 정부는 해당 협정의 파기를 고려하고 있다(단, 무역수지 이외 기타 조건은 고려하지 않는다).

<자료 1-1> 자유무역협정 체결 전 A, B, C국의 연간 무역 규모

	A국으로	B국으로	B국으로
A국으로	-	100만 박스	50만 박스
B국으로	1만대	-	2만대
C국으로	5만톤	20만톤	-

<자료 1-2> 자유무역협정 체결 후 A, B, C국의 연간 무역 규모

	A국으로	B국으로	B국으로
A국으로	-	300만 박스	200만 박스
B국으로	4만대	-	6만대
C국으로	30만톤	60만톤	-

* 표 안의 숫자는 수출입 물량을 뜻함.

[자료 2]

군락을 형성하여 살아가는 개체가 있다. 군락의 크기에 따라 외부 위협에 대한 대응이 <자료 2-1>과 같이 나타난다. 화살표 하나가 외부 위협 하나를, 작은 네모는 개별 개체를 의미한다.

<자료 2-1> 군락의 크기에 따른 외부 위협

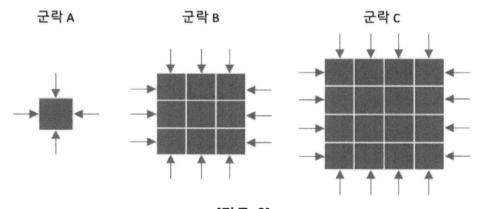

[자료 3]

기업 A, B, C가 있다. 2020년과 2021년에 각 기업의 연간 회의 회수, 회의 당 참여하는 사원 수, 창출 부가가치는 <자료 3-1>과 같다. 자료에 제시된 사항 외의 모든 조건은 세 기업이 동일하다.

<자료 3-1> 세 기업의 연간 회의 회수, 회의 당 참여하는 사원 수, 창출 부가가치

기업	2020년			2021년		
	연간 회의 회수(회)	회의 당 참여하는 사원 수(명/회)	창출 부가가치 (억 원/년)	연간 회의 회수(회)	회의 당 참여하는 사원 수(명/회)	창출 부가가치 (억 원/년)
A	30	40	10	40	60	7
B	40	60	7	30	40	10
C	30	40	10	30	40	10

[자료 4]

 A국과 B국은 빵 또는 커피 중 한 가지 상품에 특화된 공장을 건설하려고 한다. 이때 각국 노동자들이 1주일간 생산할 수 있는 상품별 최대 생산량은 <자료 4-1>과 같다. 빵 2개의 소비에 대한 소비자의 효용은 커피 1개의 소비와 같고, 소비자 입장에서는 한 가지 상품보다 두 가지 상품을 모두 소비할 때 효용이 α만큼 더 증가한다. 이러한 소비자 효용을 기준으로 양국이 교역을 해야 하는지 결정해야 하는 상황이다 (교역은 빵 2개와 커피 1개 간의 교환 방식으로만 이루어진다).

<자료 4-1> A국과 B국의 상품별 최대 생산량

	빵	커피
A국	6	3
B국	1	2

인하대학교
INHA UNIVERSITY

1번 답안

		50
		100
		150
		200
		250
		300
		350
		400
		450
		500
		550
		600
		650

이줄 위에 답안 작성시 무효 처리됨

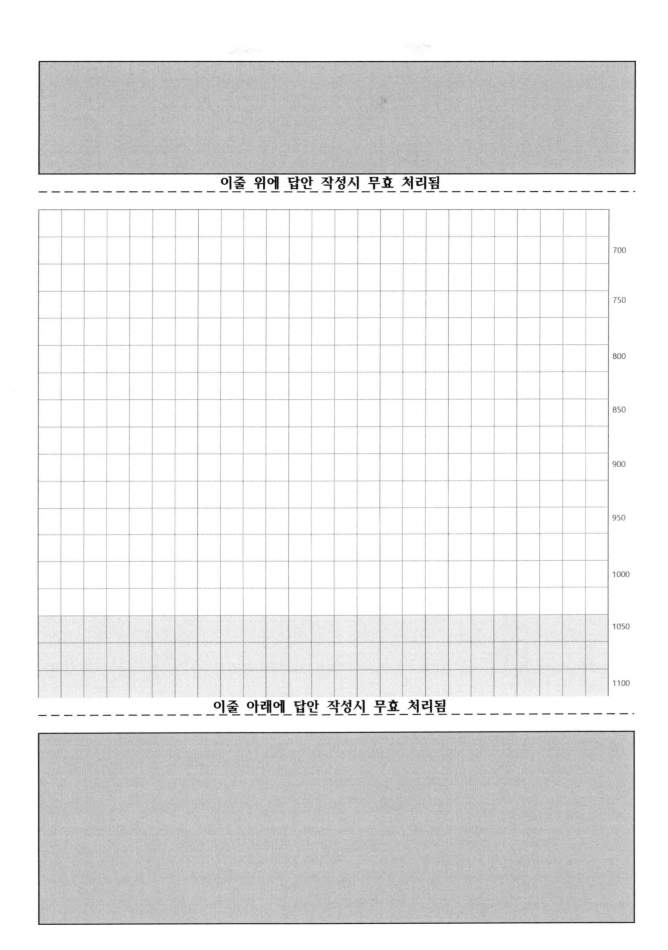

700
750
800
850
900
950
1000
1050
1100

이줄 아래에 답안 작성시 무효 처리됨

이줄 위에 답안 작성시 무효 처리됨

2번 답안

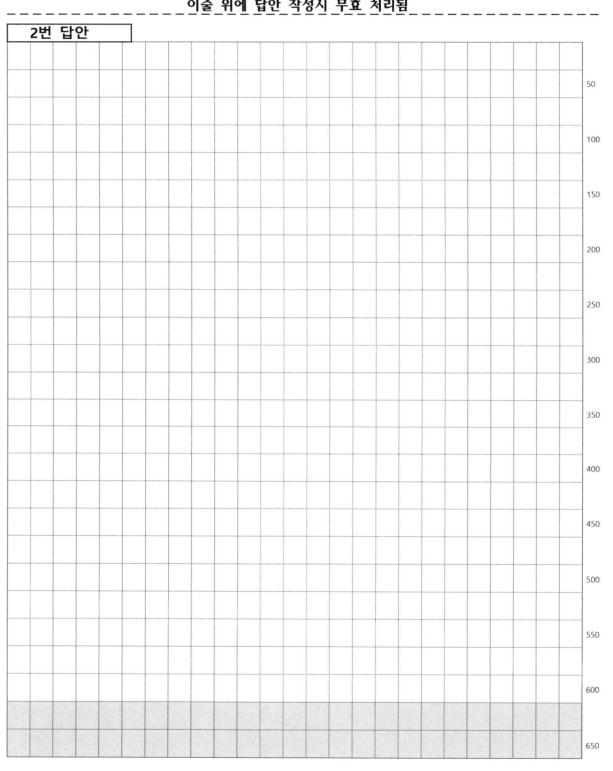

5. 2022학년도 인하대 수시 논술

[논제] 능력주의에 대해 찬성 혹은 반대하는 토론 상황이다. 여기서 능력주의 (meritocracy)는 지능과 노력을 통해 얻은 능력과 성과에 따라 지위나 보수가 주어지는 체계를 의미한다.

[문항 1] <다음> 중 하나의 주장을 택한 후, 아래의 <조건>에 따라 논하시오. (1,000자 ±100자, 60점)

<다 음>

| 주장 1 : 능력주의를 찬성한다. | 주장 2 : 능력주의를 반대한다. |

<조 건>

1. 제시문 (가) ~ (바) 가운데 세 개를 활용하여 자신의 주장을 정당화할 것.
2. 조건 1에서 선택하지 않은 나머지 세 개를 활용하여 반론을 제기할 것.
3. 반론에서 제기된 논거들을 각각 재반박하여 자신의 주장을 옹호할 것 (조건 1에서 활용한 논거를 반복하지 말 것).
4. 제시문의 문장을 그대로 옮기지 말 것.

[문항 2] 제시문 (사)의 <자료 1>~<자료 4>를 활용하여 아래의 <조건>에 따라 논하시오. (600자±60자, 40점)

─────────────── < 조 건 > ───────────────

1. [자료 1] ~ [자료 4] 중 [문항 1]에서 자신이 선택한 주장을 뒷받침하는 자료를 두 개 선택할 것.
2. 선택한 자료를 해석하고 이를 토대로 자신의 주장을 정당화할 것.

(가) 1870년대에 영국에서 의무교육이 시작되었고, 공무원을 사사로운 정이나 관계에 의해 선발하는 정실주의가 폐지되었다. 특히 산업혁명 이래 영국에서는 군대를 비롯한 공공행정 분야의 경우 정실이나 뇌물, 상속이 아니라 능력에 의해 선발해야 한다는 생각이 자리 잡았다. 마이클 영(Michael Young)의 저서 『능력주의』에 따르면 '능력'은 '지능(IQ)+노력'이다. 그에 따르면 토지는 신분제도의 토대를 이루고, 기계는 유산계급과 무산계급을 만든다. 능력주의에서는 교육이 계층이동을 가능하게 하는 사다리 구실을 한다. 능력을 인정받은 사람들이 학교에 입학하고, 능력에 따라 사회에서 대우를 받는다. 높은 능력을 쌓은 사람은 높은 사회적 지위를 갖는다. 능력주의는 지능검사가 과학화됨에 따라 날개를 달았다. 지능에 따라 사람들은 다른 교육을 받고 다른 인생을 산다. 학생들은 11세에 실시한 지능검사를 기준으로 지진아 학교(IQ 50-80), 현대식 중등학교(IQ 81-115), 그래머스쿨(IQ 116-180), 기숙형 그래 머스쿨(IQ 125-180)에 진학한다.

능력주의 사회에서 엘리트는 도덕적으로 정당화된다. 사회 구성원은 상위 5%와 하위 95%의 두 계급으로 나누어진다. 높은 지위의 사람은 자신의 성공을 자신의 능력과 노력에 따른 정당한 보상이라고 생각하는 반면, 열등한 지위에 있는 사람은 자신이 무능력하고 열심히 노력하지 않았으므로 그렇게 되었다고 믿는다. 능력주의를 믿는 사람들은 자신의 운명에 운이 개입할 여지를 인정하지 않거나, 인정한다고 할지라도 그것 때문에 정부가 자신의 성공 일부를 타인과 함께 나눌 것을 강요할 수 없다고 생각한다. 그렇지만 마이클 영은 책에 등장하는 '첼시 선언'의 다음과 같은 구절을 인용하며 이를 비판한다. "사람들은 다양한 가치를 가지며 그 가치에 따라 행동한다. 우리가 지능과 교육, 직업과 권력만이 아니라 그들의 친절함과 용기, 상상력과 감수성, 공감력과 관대함으로 평가한다면 계급은 존재하지 않을 것이다. 누가 아버지로서 훌륭한 자질을 가진 짐꾼보다 과학자가 더 우월하고, 장미 재배에 놀라운 솜씨를 지닌 대형 트럭 운전자보다 상 받는 일에 비상한 기술을 가진 공직자가 더 우월하다고 말할 수 있겠는가?"

고등학교 통합사회, 사회·문화 활용

(나) 아리스토텔레스는 '각자에게 자신의 정당한 몫'을 돌려주는 것을 정의라고 보았다. 여기서 알 수 있듯이 공정하고 올바른 사회는 사회적 재화의 정의로운 분배와 밀접한 연관이 있다. 재화 분배의 형평성이 객관적으로 보장되지 않는다면 구성원의 불만은 높아지고 사회는 불공정해질 수 있다. 문제는 자신의 몫을 돌려주는

정당한 기준이 다양하기에 다수가 만족할 방법을 찾기 어렵다는 데 있다. 예를 들어 필요에 따라 분배할 경우 사회적 약자는 배려될 수 있으나, 이것은 일부에게만 혜택이 주어진다는 점에서 역차별이라는 비판을 받기도 한다. 또한 결과에 따라 분배할 경우 구성원 간의 과열 경쟁으로 인해 사회적 갈등이 유발되기 쉽다는 비판이 나오기도 한다. 그렇다면 사회적 재화를 사회 구성원에게 공정하게 분배하려면 어떤 기준을 적용해야 할까?

자유주의적 정의관은 자유주의와 개인주의에 기반을 두고, 개인의 자유로운 선택과 노력에 의해 얻은 결과물에 대한 소유권을 절대적 가치로 인정한다. 자유주의자인 노직(Robert Nozick)은 공정한 분배의 기준을 무엇보다 개인의 자격에서 찾는다는 점에서 독창적이다. 즉 필요나 결과와 같은 기준이 아니라 개인이 그 분배를 소유할 수 있는 정당한 자격을 갖추었느냐가 기준이 된다고 본 것이다. 노직은 로크(John Locke)의 자기소유권의 원칙에서 출발하여 개인들이 자신의 몸에 지닌 재능이나 노동력과 같은 모든 자산에 대한 권리를 갖고 있으며, 이를 자유롭게 향상시킴으로써 개인의 능력에 따라 권리를 갖는 것이 정의롭다고 보았다. 재화의 취득과 양도 과정에서 소유권을 누릴 자격을 갖추었다면 그 소유권은 정의로운 것이며, 바람직한 사회는 이런 개인의 권리를 자유롭게 보장해주는 사회다. 물론 취득과 양도의 과정이 정의롭지 않다면 이를 통해 얻은 소유권은 정당하다고 볼 수 없다. 노직의 근본 전제는 개인이 지닌 개별성, 다시 말해 개인의 자유를 불가침한 것으로 보고, 스스로 인생의 의미를 부여하면서 자기 발전을 추구하는 독립적 존재로서의 개인이 중요하다는 데 있다.

고등학교 생활과 윤리 활용

(다) 정부는 중장기적으로 과학기술의 발전을 위해 수준 높은 연구로 널리 알려진 과학기술자 10여 명을 선정하여 과학기술 진흥기금을 전폭 지원하겠다는 방침을 발표하였다. 이는 세계적 수준의 과학자를 적극적으로 육성하려는 의도로 보인다. 마태복음 25장 29절은 "무릇 있는 자는 받아 풍족하게 되고 없는 자는 그 있는 것까지도 빼앗기리라"라고 기록하고 있다. 이에 비유하여 사회학자 머튼(Robert K. Merton)은 저명한 과학자가 무명의 과학자에 비해 많이 보상받는 현상을 '마태 효과(Matthew Effect)'라고 명명하였다. 이는 이미 상당한 명망을 획득한 과학자는 계속해서 유명해지지만, 그렇지 못한 과학자는 계속해서 인정을 받지 못하는 현상을 말한다. 이와 관련하여 과학연구에 대한 사회적·국가적 지원이 특정인에게 집중되면 과학계의 불평등을 심화시켜, 지원에서 소외된 과학자들의 사기 저하와 과학의 불균형발전과 같은 부정적인 결과를 초래할 수 있다는 비판도 적지 않다.

그렇지만 사회의 일반적인 시각은 그렇게 부정적이지만은 않다. 일반 시민은 우수한 과학자의 연구성과가 과학자 개인의 이익으로만 귀속되는 것이 아니라 전체 사회의 발전을 이끌어 모든 사람에게 돌아가는 보편적인 수혜에 주목한다. 과학계의 불균등한 보상체계는 궁극적으로 그것이 과학발전에 어떤 영향을 미치는가의 관점에서 접근할 필요가 있다. 연구 보고에 의하면 과학의 진보에 기여하는 과학적 발견은 극소수의 과학자에 의해 이루어진다. 즉 과학계의 성과가 일부 저명한 과학자에게 집중되는 현상을 발견할 수 있다. 400명의 과학자가 있다면 그 수의 제곱근에 해당하는 20명, 즉 5%의 극소수 과학자가 전체 과학적 성과물의 절반인 50%를 생산한다. 과학적 성과물은 일부 과학자에게 집중되고 시간이 지나면서 편중의 정도가 심화한다. 이러한 연유로 과학기술이 발전한 국가는 자국의 과학자는 물론 세계의 우수한 과학자를 유치하기 위해 국가 과학 메달 등과 같은 다양한 포상과 지원 체계를 도입하고 있다.

고등학교 통합사회 , 생활과 윤리 활용

(라) 많은 종의 개미에게 나타나는 특징은 이미 삼켜서 어느 정도 소화가 된 먹이도 공유한다는 사실이다. 공동체의 어느 구성원이든 먹이를 달라고 요청하면 나눠주는 것이 개미에게는 의미 있는 일이다. 종이 다르거나 서로 적대적인 개미끼리는 우연히 만나더라도 서로를 피한다. 하지만 집이 같거나 같은 군집에 속하는 개미끼리는 서로에게 접근하여 더듬이로 몇 가지 동작을 교환한 다음 배가 고프거나 목이 마르면 상대방에게 먹이를 요청한다. 요청받은 개미는 거절하는 법이 없다. 아래턱을 열고 적당한 자세를 취한 다음에 배고픈 개미가 핥아먹을 수 있는 투명한 액체 방울을 게워낸다. 개미의 소화관은 두 부분으로 나누어져 있는데 뒤쪽에 있는 소화관은 자신을 위한 것으로, 앞쪽에 있는 소화관은 다른 개미를 위한 것으로 사용된다. 만약 먹이를 충분히 먹은 개미가 다른 동료에게 나눠주기를 거절한다면 그 개미는 심지어 적보다도 나쁜 취급을 받게 된다. 만일 동족이 다른 종과 싸우고 있을 때 그런 식으로 거절했다면 그 탐욕스러운 개미는 적보다 격렬하게 공격당한다.

 종의 수가 천 개를 넘고 개체 수도 엄청난 개미는 같은 개미집이나 군집의 구성원끼리 경쟁하지 않는다. 서로 다른 종들 사이의 전쟁이 아무리 무시무시해도 전투 중 어떤 잔혹 행위가 자행되더라도 공동체 내에서 습성화된 자기 헌신은 지켜지며, 나아가 자기희생도 빈번하게 발휘된다. 만일 어떤 개미가 적에 속한 다른 개미에게 먹이를 주었다면, 그 개미는 적의 동료에게도 친구로 대접받는다. 잘 닦인 통로와 아치형의 회랑, 널찍한 곡물 창고와 같은 놀라운 건축물, 알과 애벌레를 돌보는 합리적인 방식, 개체들의 용기와 우수한 지능, 이 모두는 개미가 고단한 삶의 단계마다 이런 습성을 실천해서 얻은 자연스러운 결과물이다. 이와 같은 개미의 특징은 인간 관찰자조차 놀랄 정도로 높은 수준의 사회체계를 낳는 토대가 되었다.

고등학교 정치와 법, 윤리와 사상 활용

(마) 마이크로소프트의 설립자로 미국 하위 40%의 자산과 맞먹는 부를 소유한 세계적 갑부인 빌 게이츠(Bill Gates)의 성공을 얘기할 때마다, 하버드 대학생이었던 그의 재능과 대학을 중퇴하고 과감하게 새로운 사업을 선택한 그의 창의적이고 도전적인 정신이 거론된다. 그러나 그의 사회적 성공 이면에 고위 금융인이었던 외조부, 변호사였던 아버지, 교사였던 어머니가 있었다는 사실에 대해서는 종종 간과한다. 특히 개인의 가치와 자기 주도권을 중시하는 미국 사회는 성공한 개인의 성장 과정에 영향을 미치는 환경 조건을 부차적 요인으로 취급하는 경향이 있다. 현대사

회에서 개인의 사회적 활동과 지위는 사회화 과정에 의해 결정된다. 사회화 과정에서 아이들은 무엇이 편안하고 자연스러운 행동인지를 익히게 되며, 문화나 사회, 미래를 바라보는 특정한 성향을 형성하게 된다. 또 무엇이 사회적으로 더 가치 있고 용인될 수 있는지에 대한 기준을 갖게 되고, 이러한 기준에 따라 개인은 그 사회 내에서 자신의 위치를 정당한 것으로 받아들인다.

인간의 사회화 과정은 사회학뿐 아니라 교육학에서도 중요하게 다루는 주제다. 근래 많은 사회학자와 교육학자는 사회화 과정에 영향을 미치는 다양한 요소에 주목하고 있으며, 그중에서도 사회 계층적 지위와 같은 구조적 요인이 중요하다고 보고 있다. 프랑스의 사회학자 부르디외(Pierre Bourdieu)에 의하면 개인적 취향과 문화 활동, 언어 능력, 예절 등은 어린 시절 가정의 양육과정에서 체현되며, 이러한 개인적 성향과 문화적 특성은 성인이 된 이후 각기 다른 문화적 역량과 사회적 지위를 획득하는 것과 밀접한 관계가 있다. 또 학교라는 제도가 학생에게 균등한 교육을 제공한다는 일반적 관념과 달리 실제로는 각 학생에게 주어진 가정의 사회적 위치에 따라 문화적 격차와 학업 성취도의 차이를 발생시키며, 나아가 이러한 불균등한 조건을 사회가 수용하도록 합리화하고 정당화한다.

고등학교 사회·문화, 정치와 법 활용

(바) 연극 「사려 깊은 주인 모시기」는 17세기 스페인의 대표적 극작가인 로페 데 베가(Lope de Vega)의 작품이다. 이 연극의 주인공 페드로는 부유한 부르주아 계급의 젊은이였다. 그는 세비야 여행 중에 레오노르라는 아름다운 여인에게 반해 구애했으나, 그녀는 혼인을 통해 지체 높은 귀족으로 신분 상승을 꿈꾸었기에 거들떠보지 않았다. 페드로는 자신의 재력을 과시하면서 고귀한 신분의 귀족이라고 속였으나, 재산을 탕진하여 더는 자신의 신분을 속일 수 없게 되자 마드리드로 도주했다. 레오노르는 그가 정말로 지체 높은 귀족인지 확인하기 위해 쫓아왔다. 페드로는 우연한 기회에 고귀한 신분인 팔마 백작의 비서가 되었고, 그에게 세비야에서 일어났던 이야기를 털어놓았다. 팔마 백작은 고귀한 귀족처럼 행세하도록 그를 도왔고, 나중에는 기사단 의복을 그에게 수여하며 진짜 귀족으로 만들어줌으로써 레오노르와 결혼하게 해주었다.

페드로의 무모하고 부정직한 행위를 지켜본 당시 관객은 이 연극의 행복한 결말에 즐거워하거나 그의 성공에 진심 어린 박수를 보낼 수 없었다. 연극 제목의 '사려 깊은'이라는 용어는 페드로의 입장에서 팔마 백작이 사려 깊다는 뜻이지만, 결점으로 가득 찬 페드로를 그저 자신의 마음에 든다는 이유만으로 하루아침에 고귀한 신분의 귀족으로 만든 그의 전횡에 대한 반어적 표현이기도 하다. 17세기 스페인 사회에서 신분 상승이 간혹 이루어지기도 했지만, 그것은 사회 시스템의 근간을 유지하는 매우 제한된 범위 내에서였다. 당시 지배계층은 자신들의 기득권과 지위를 위협하는 행위를 사회적 혼란을 초래하거나 사회 시스템의 근간을 흔드는 위험한 행위로 간주함으로써 자신들의 기득권을 유지하고 서민에 대한 억압을 정당화했다. 이 연극은 낭비벽이 심하고 불성실하며 거짓말을 일삼는 인물의 예외적인 신분 상승도 기존 사회 시스템의 근간을 흔들지 않는다면 권력자의 마음 먹기에 따라 일어날 수 있었던 당시 스페인 사회를 비판하고 있다.

고등학교 세계사, 사회·문화 활용

(사) [자료 1]~[자료 4]는 능력주의에 대한 찬성 혹은 반대의 논거로 사용할 수 있는 자료다.

[자료 1]

<자료 1-1>은 전 세계 100개국의 공공 조직 운영에 대해 관련 분야 전문가를 대상으로 실시한 설문 결과다. 그 결과에 따라 100개국을 A, B, C의 세 집단으로 분류하였다. <자료 1-2>는 '부패지수'를 x 축으로, '정부신뢰도'를 y축으로 할 때 같은 A, B, C 집단의 분포를 나타낸 그림이다.

<자료 1-1> 공공 조직 운영 설문 결과

문항	보기 (1~5의 5점 척도)	응답 평균값		
		A집단	B집단	C집단
공무원이 표준화된 시험에 의해 선발되는가?	전혀 아니다 1 2 중간 3 4 매우 그렇다. 5	2.5	3.3	4.4
공공 부문의 의사결정이 하향식으로 이루어지는가?	전혀 아니다 1 2 중간 3 4 매우 그렇다. 5	4.5	3.7	2.6
공무원의 연봉은 성과를 기준으로 산정되는가?	전혀 아니다 1 2 중간 3 4 매우 그렇다. 5	2.2	3.1	4.3

<자료 1-2> 각국의 부패지수*와 정부신뢰도** 분포

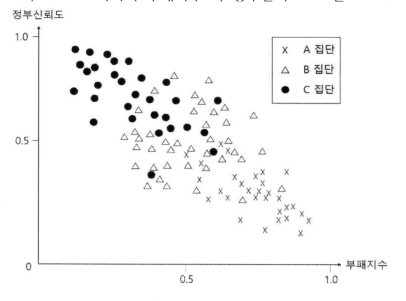

* 각국의 부패 정도에 대한 국민의 인식을 '0(매우 낮음)'부터 '1(매우 높음)'로 지수화한 것임
** 정부의 국정 운영에 대한 국민의 신뢰 정도를 '0(매우 낮음)'부터 '1(매우 높음)'로 지수화한 것임

[자료 2]

‘인하국’에서는 1990년 이후 능력주의에 기반하여 산업구조를 지속적으로 개편하였다. 〈자료 2-1〉은 인하국의 노동 숙련도에 따른 10년간 집단별 고용 비중 변화율을 시기별로 정리한 그림이다. 〈자료 2-2〉는 같은 노동집단별 실질 평균 소득을 시기별로 비교한 표다.

〈자료 2-1〉 시기별 노동 숙련도에 따른 고용 비중 변화율*

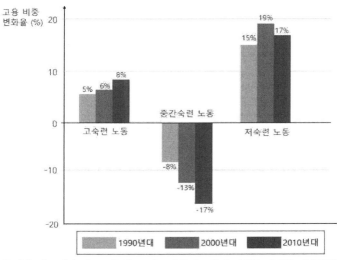

* 1990년의 고숙련, 중간숙련, 저숙련 노동의 고용 비중은 각각 10%, 60%, 30%였음

〈자료 2-2〉 시기별 노동 숙련도에 따른 실질 평균 소득* 비교

	1990대	2000년대	2010년대
중간숙련 노동자 평균 소득(B) 대비 고숙련 노동자 평균 소득(A)의 배율 (=A/B)	1.4	2.5	5.3
중간숙련 노동자 평균 소득(B) 대비 저숙련 노동자 평균 소득**(C)의 배율 (=C/B)	0.5	0.6	0.8

* 평균 소득은 10년간 평균값으로 계산됨
** 저숙련 노동자의 실질 평균 소득은 시기에 따라 변화 없음

[자료 3]

〈자료 3-1〉은 15개 국가를 대상으로 고등학교 교육제도와 청소년의 학교생활을 조사한 결과다. 〈자료 3-2〉는 〈자료 3-1〉의 내용을 상관관계로 분석한 결과다.

〈자료 3-1〉 각국의 고등학교 교육제도와 청소년 설문조사 결과

국가	상대평가 등급제*	고등학교 비평준화*	주당 평균 학습시간	교우관계 만족도**	학교생활 만족도**
A	0	1	56	7.2	6.4
B	0	0	36	6.6	6.7
C	0	0	44	8.3	7.0
D	1	1	62	3.9	4.7
E	1	1	78	3.7	1.5
F	1	0	58	5.0	5.4
G	0	0	33	8.1	6.8
H	1	1	54	5.6	5.7
I	0	0	58	4.3	4.0

J	1	1	70	2.5	3.8
K	0	0	64	6.0	4.7
L	1	1	86	5.8	1.5
M	0	0	60	7.4	4.4
N	1	1	75	4.4	5.6
O	1	1	70	3.3	2.2

* ‘0’은 미실시, ‘1’은 실시를 의미함
** ‘0(매우 불만족)’~‘10(매우 만족)’의 응답을 평균한 값임

<자료 3-2> 조사 항목 간 상관관계*

	상대평가 등급제	고등학교 비평준화	주당 평균 학습시간	교우관계 만족도	학교생활 만족도
상대평가 등급제	1.000				
고등학교 비평준화	0.732	1.000			
주당 평균 학습시간	0.662	0.644	1.000		
교우관계 만족도	-0.738	-0.569	-0.644	1.000	
학교생활 만족도	-0.539	-0.464	-0.831	0.630	1.000

* 상관관계는 ‘-1(매우 강한 역(逆)의 관계)’~‘0(상관관계 없음)’~‘1(매우 강한 정(正)의 관계)’의 값으로
나타냄

[자료 4]

‘인하공방’은 두 명의 숙련된 가죽세공인이 구두와 가방을 생산한다. 인하공방의 노동시간은 주당 30시간이며, 각 노동자의 제품별 생산능력은 서로 다르다. <자료 4-1>은 노동자별 주간(週間) 생산 가능 곡선으로, 각 노동자가 주어진 노동시간을 배분하여 최대로 생산할 수 있는 두 제품의 조합을 나타낸다. 제품별로 동일한 시간을 투입하게 한 작년까지 각 노동자의 생산량은 각각 A0와 B0에 위치하였다. 제품별 노동시간을 노동자 자율로 정하고 늘어난 생산량에 비례하여 성과급을 지급하기로 한 올해에는, 각 노동자의 생산량이 A1과 B1으로 이동하였다(구두와 가방 1개당 성과급은 동일함).

<자료 4-1> 노동자별 주간 최대 생산 가능 수량

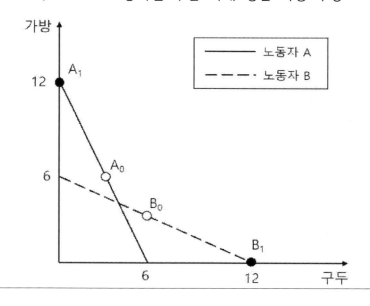

인하대학교
INHA UNIVERSITY

1번 답안

50

100

150

200

250

300

350

400

450

500

550

600

650

이줄 위에 답안 작성시 무효 처리됨

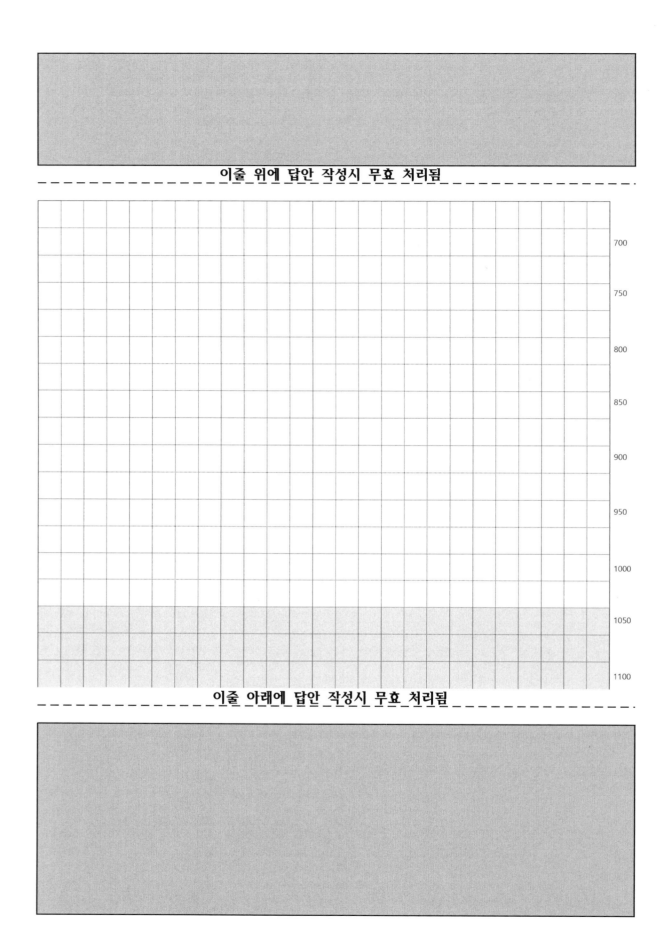

이줄 아래에 답안 작성시 무효 처리됨

2번 답안

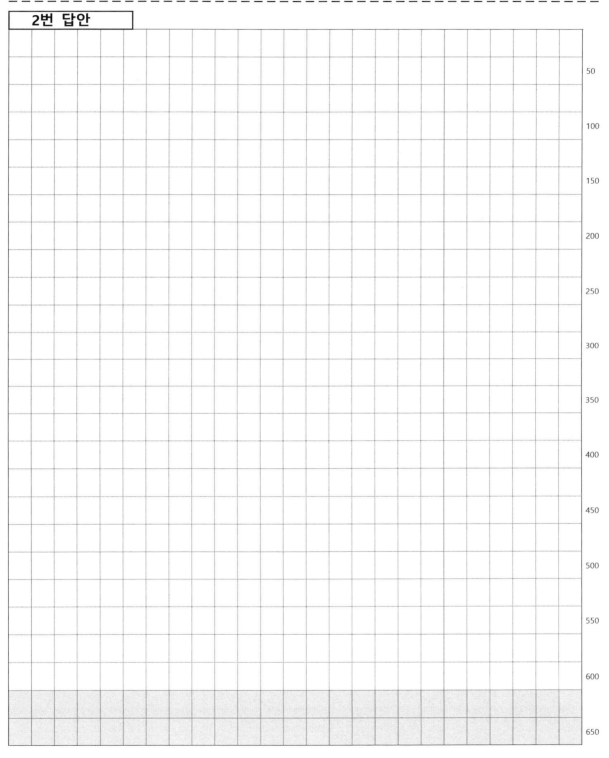

6. 2022학년도 인하대 모의 논술

[논제] 백신 국가주의에 대한 토론 상황이다. 백신 국가주의는 백신의 확보 과정에서 나타나는 자국 우선주의 현상을 의미한다. 전염병 팬데믹 상황에서 특정 국가가 개발한 백신을 전 세계가 공유해야 하는지, 개발한 국가가 자국민 보호를 위해 우선적인 사용권을 가질 수 있는지에 대한 논쟁이 활발하다. 아래의 물음에 답하시오.

[문항 1] <다음> 중 하나의 주장을 택한 후, 아래의 <조건>에 따라 논하시오. (1,000자 ±100자, 60점)

<다 음>

| 주장 1 : 백신 국가주의를 찬성한다. | 주장 2 : 백신 국가주의를 반대한다. |

<조 건>

1. 제시문 (가) ~ (바) 가운데 세 개를 활용하여 자신의 주장을 정당화할 것.
2. 조건 1에서 선택하지 않은 나머지 세 개를 활용하여 반론을 제기할 것.
3. 위에서 제기한 반론을, 조건 1에서 활용하지 않은 논거로 각각 재반박하여 자신의 주장을 옹호할 것.
4. 제시문의 문장을 그대로 옮기지 말 것.

[문항 2] 제시문 (사)의 <자료 1>~<자료 4>를 활용하여 아래의 <조건>에 따라 논하시오.
(600자±60자, 40점)

─────────< 조 건 >─────────

1. <자료 1> ~ <자료 4> 가운데 두 개를 활용하여, [문항 1]에서 자신이 선택한 주
장을 정당화할 것.
2. 제시문의 문장을 그대로 옮기지 말 것.

───────────────────────

(가) 산타 마리아 델 피오레 대성당은 1292년에 피렌체 시의회가 캄비오(A. Cambio)
에게 설계를 맡겨 1296년에 공사가 시작되었다. 캄비오의 죽음과 흑사병의 유행으
로 더디게 진행되어 1418년에서야 성당 건물이 완성되었지만, 내부 지지대가 없는
거대한 돔을 만들지 못해 성당 지붕은 열린 상태였다. 돔을 완성할 건축가를 공모
했으나, 지원자 중에 최초 설계대로 돔을 만드는 방법을 제시한 건축가가 없었다.
브루넬레스키(F. Brunelleschi)는 지지대 없이 거대한 돔을 만들 수 있지만 다른 건
축가가 자신의 아이디어를 도용할 수 있어 그 방법을 공개할 수는 없다고 했다. 피
렌체 의회는 대성당의 돔형 지붕에 대한 특허장을 그에게 발급하고 공사를 맡겼다.
특허장에는 특허 보호기간 3년 동안 아이디어를 도용하면 처벌한다는 문구가 명시
되었다. 이것이 인류 역사상 최초의 특허권이다. 그는 1436년에 지름 45미터의 돔
을 완성했다. 이렇게 탄생한 성당은 오늘날까지 피렌체를 대표하는 상징이 되었다.
 이탈리아에서 시작된 근대 특허제도는 네덜란드와 영국으로 퍼졌다. 영국은 전매
특허조례를 1623년에 제정하여 최초의 발명자에게 40년간 특허권을 인정함으로써
유럽 각국의 기술자를 끌어들였다. 1791년에 프랑스 헌법은 발명자의 권리를 인권
에 기초한 재산권으로 선언했고, 작품 공연 등 저작권에 대해서도 1793년 법으로
배타적 권리를 인정했다. 에디슨(T. Edison)은 "서랍 속에 잠들어 있는 물건은 발
명품이 아니다."라면서 자신의 발명에 대해 일일이 특허를 출원했다. 그는 1,000여
개의 특허를 따낸 덕분에 돈벌이를 따로 하지 않고도 발명을 계속할 수 있었다. 에
디슨이 발명한 전구 하나가 인류 문명의 역사를 새롭게 펼쳤다는 사실을 보더라도
특허가 끌어낸 기술 혁신이 얼마나 대단한 위력을 발휘하는지를 쉽게 엿볼 수 있
다.

고등학교 사회·문화, 세계지리 활용

(나) 인간이 자신만의 정부를 가지지 못하거나 최소한의 권리만을 갖는 상태로 추
락하자마자, 어떠한 권위도 인권을 보호하기 위해 남겨져 있지 않고 또 어떠한 제
도도 인권보장을 바라지 않는다는 사실이 드러났다. 권리를 갖지 못한 자가 겪게
되는 최초의 상실은 고향의 상실인데, 이는 이 세계 안에서 자신들을 위한 분명한
자리를 마련해주었던 사회적 조건 전체의 상실을 의미했다. 권리를 갖지 못한 자가
겪게 되는 두 번째 상실은 정부의 모든 보호를 상실하는 것이다. 권리를 갖지 못한
자의 파국은 그들의 삶, 자유, 행복 또는 법 앞에서의 평등을 추구할 권리와 의견
의 자유를 박탈당했다는 점에 있는 것이 아니라, 그들이 어떤 공동체에도 속할 수

없다는 점에 있다. 이러한 곤경은 그들이 법 앞에서 평등하지 않다는 것이 아니라 그들을 위한 어떠한 법도 존재하지 않는다는 것이며, 그들이 억압받고 있다는 것이 아니라 어느 누구도 그들을 억압조차 하려 않는다는 것이다.

정치체 자체의 상실만으로도 인간은 인류에게서 축출될 수 있다. 인간은 인간으로서 자신의 본질적 자질, 즉 인간적 품격을 상실하지 않고도 소위 인권이라는 모든 권리를 상실할 수 있다. 인권에 대한 근본적인 박탈은 의견을 중요시하고 행위를 효과 있게 해주는 세계 내에서 자리를 박탈당하는 것이다. 태어나면서 자연스럽게 속하게 되는 공동체에 따라 어떤 사람들은 행위할 권리와 의견을 가질 권리를 모조리 박탈당한 채 도덕적·법적 인격의 절멸 상태뿐만 아니라 개성의 파괴까지 강요받는다. 어떤 공동체에 우연히 속했다는 것만으로 자신의 원천에서부터 시작하는 인간의 힘인 자발성과 개성의 제거, 즉 사람을 살아있는 시체로 변형하는 것이 가능하다는 것은 시민의 권리인 자유와 정의를 박탈하는 것보다 훨씬 더 근본적으로 위험하다.

고등학교 윤리와 사상, 사회·문화 활용

(다) 비행기로 여행할 때 가장 먼저 나오는 안내는 기내 안전수칙에 관한 설명이다. 그 중에는 산소마스크 착용에 관한 안내가 있는데, 주목할 만한 것은 비상시에는 어린이와 같은 노약자보다 성인이 먼저 산소마스크를 착용해야 한다는 점이다. 일반적으로는 보호가 필요한 어린이에게 먼저 산소마스크를 착용해주는 것이 맞을 것 같지만 실제로 기내 안전수칙으로는 올바르지 않다. 물론 부모 입장에서는 비행기 이상으로 갑자기 산소마스크가 떨어지면 어린아이부터 챙겨야 할 것 같은 심정적 조바심을 이겨내기 어렵다. 하지만 전문가들은 재난이 닥쳤을 경우 본능적 충동보다 이성적 판단으로 사고에 대처해야 한다고 말한다.

일반적으로 민간 여객기는 고도 3만 5천에서 4만 피트 내외에서 비행한다. 이 높이의 기압은 매우 낮지만 항공기 안은 여압조절 장치를 통해 고도 8천 피트 정도의 기압을 유지한다. 그런데 만약 그 고도에서 갑자기 기내 압력에 문제가 생겨 4만 피트 상공의 기압에 노출되면 사람은 30초 만에 정신을 잃게 된다. 압력이 떨어지는 속도가 매우 급격하게 되면 불과 10초만에도 정신을 잃을 수 있다. 이렇게 위기가 악화되면 통제가 불가능할 수 있기 때문에 성인에게 먼저 산소마스크를 착용하도록 권하는 것이다. 만약 어린이를 먼저 도와주려다 성인이 정신을 잃으면 더 큰 문제가 될 수 있기 때문이다. 스스로를 돌보는 능력이 부족한 아이를 먼저 보호하고 싶은 마음은 당연하겠지만, 급한 상황일수록 자신의 안전을 먼저 확보한 후 대처해야 효율적인 위기 관리가 가능하다.

고등학교 윤리와 사상, 화법과 작문 활용

(라) 미국의 스포츠 구단 가운데는 인디언 부족을 팀의 명칭이나 마스코트로 사용하는 경우가 많다. 가령 미식축구 구단인 '워싱턴 레드스킨스'(Washington Redskins)나 프로야구 구단인 '클리브랜드 인디언스'(Cleveland Indians)도 인디언 부족의 상징을 상표로 쓰고 있다. 그러나 레드 스킨이라는 용어는 흑인을 의미하는

'블랙 스킨'(black skin)과 마찬가지로 인디언을 부정적으로 묘사한 것이다. 이에 1992년 한 인디언 단체가 상표권위원회에 '워싱턴 레드스킨스'의 상표 등록 취소를 신청하였다. 왜냐하면 이 상표는 사람, 단체, 신앙, 국가 등을 비방하거나 나쁜 평판을 받게 할 염려가 있는 상표의 등록을 거절할 규정을 둔 연방 상표법에 저촉될 소지가 있었기 때문이다.

상표권위원회는 이 신청을 받아들여 상표 등록 취소 결정을 내렸다. 그러자 구단 측에서 법적 소송을 제기하였고, 상소심까지 가게 되었다. 심리 과정에서 인디언들은 레드 스킨이라는 단어가 그동안 인디언을 얼마나 경멸적으로 묘사했는지를 보여주는 여러 자료를 제출하였다. 그러나 구단은 자신들이 등록한 '레드스킨스' 상표가 대중에게 알려지기 시작한 무렵에 인디언들이 곧바로 이의를 제기하지 않았기 때문에 구단은 상표의 계속적인 사용으로 인해 사용 권리를 갖게 되었다고 항변했다. 이에 2009년 미국 대법원은 상표권위원회의 결정을 뒤집는 판결을 선고하면서 구단 측과 축구협회의 손을 들어주었다. 비록 상표권 소송에서는 졌지만 실제로 인디언과 관련된 명칭이 부정적으로 사용된다는 사실에는 변함이 없다. 실제로 미군은 알카에다 조직의 지도자였던 오사마 빈 라덴을 사살한 것을 '제로니모 교전 중 사망'이라는 암호로 정부에 보고하였다. 제로니모는 미국의 공격에 맞서 끝까지 저항한 아파치족의 용맹한 장수였는데, 그 이름을 미국의 적수에게 암호명으로 붙여준 것이다.

고등학교 통합사회, 생활과 윤리 활용

(마) 근대는 인류의 보편적 가치에 대한 자유주의적 성찰에 초점을 두어왔다. 신분이나 사회적 조건에 관계 없이 모든 인간의 평등한 천부적 권리는 근대 사상과 정치제도의 근간이 되어왔다. 1789년 프랑스 국민회의에서 채택된 <인간과 시민의 권리들의 선언>은 근대적인 인권을 제도적으로 확립한 상징적인 사건이었다. 프랑스 인권선언에서 또 주목할 것은 시민을 정치적 주체이자 권리의 주체로 내세우고 있다는 점이다. 시민이라는 개념 역시 전근대적인 신분 사회와 달리 한 국가 속에서 모든 인간의 평등한 권리를 전제로 삼고 있다. 이에 따라 근대 이후 국가의 성격도 인간의 자연적 권리 특히 시민의 권리 보장을 존립 근거로 삼는 국민국가로 변화하였다. 국가가 보장해야 하는 국민의 권리는 단지 자유와 평등의 권리만이 아니라 국민이 인간다운 삶을 누릴 수 있는 기본적인 복지와 안전에 관한 권리를 포함하고 있다. 현대 대부분의 국가에서 헌법으로 규정하고 있는 인간의 정치적, 생존적 권리는 근대 국가의 성립 및 인권선언과 동시에 제기되었다. 미국의 경우 일찍이 1776년 버지니아주 권리장전에서 "정부의 목적은 국민과 국가의 복지, 보호 그리고 안전을 위한 것"이라고 명시하고, "모든 국민이 재산을 획득하고 소유하며, 행복과 안전이 확보된 생활과 자유를 향유할 권리"를 보장하는 것을 정부의 가장 큰 목표로 삼고 있다. 이에 따르면 국가는 모든 인간의 권리를 보호하고 신장시키기 위해 노력해야 하며, 특히 정치적으로 책임을 져야 할 대상은 바로 국가를 구성하는 국민이다. 그리고 국민에 대한 의무는 단순히 요청되는 것이 아니라 이행 여

부에 대한 구체적인 책임을 져야 한다. 버지니아주 권리장전에서는 정부가 내외의 다양한 위협으로부터 국민의 재산과 행복, 안전을 보장하지 않거나 해칠 경우, 국민에게 그 정부를 변경하거나 부정할 권리를 부여하고 있다. 부당하고 무능한 국가권력에 대한 저항권은 인권은 물론 시민권의 보장에 있어 필요불가결한 국민의 권리인 것이다.

고등학교 정치와 법, 윤리와 사상 활용

(바) 한 무리의 사냥꾼들이 사슴을 잡기 위해 사냥을 시작한다. 사슴이 있을 법한 산을 둘러싸고 사슴을 몰아 조금씩 올라가면서 정상에서 잡기로 약속한다. 사슴을 잡으면 모든 사냥꾼들이 고기를 골고루 나누어 먹을 수 있다. 그런데 사슴사냥이 무르익을 즈음 한 사냥꾼의 옆으로 토끼가 지나간다. 순간, 사냥꾼은 망설인다. 그 사냥꾼은 토끼를 잡아 배불리 먹을 수도 있지만, 그가 토끼를 잡으려는 사이에 사슴은 그의 자리가 빈틈을 이용해 달아날 수도 있다. 사냥꾼은 생각한다. 다른 사냥꾼도 토끼를 보면 사슴사냥의 대열에서 이탈할 것이라는 의심을 버리지 못한다. 결국 그 사냥꾼은 자신의 옆으로 지나가는 토끼를 잡기 위해 정상에서 사슴을 잡자는 약속을 배반하게 되고, 사슴사냥은 실패로 끝나게 된다.

  루소의 '사슴사냥 우화'는 한 사회의 공동체가 유지되기 위해서 상호 간의 신뢰가 얼마나 중요한 지를 잘 말해준다. 그러나 신뢰는 공동체의 구성원이 도덕적으로 선하기 때문에 형성되는 것이 아니다. 그것은 문화적 가치나 제도와 같이 장기간 반복적인 경험을 통해 형성되는 사회적 자본의 일종이다. 자연 상태에서의 결정은 대부분 이기적인 방식으로 이루어지는데, 상호 이기적인 선택을 반복하면서 결국에는 개인의 이익만 추구하는 것보다 상대방을 고려하고 신뢰하는 것이 더 이익이 된다는 것을 깨닫게 된다. 즉 상대방이 치면 나도 친다는 '맞대응(tit-for-tat)' 방식이 야기하는 불이익과 위험성을 인식하고, 개인적 이기주의를 절제하거나 통제할 필요성을 깨닫게 된 결과 사회적 신뢰를 위한 제도적 장치들이 갖추어지게 된 것이다. 현재와 같이 인류의 안정된 삶을 지탱해 주는 국가의 제도, 규범이나 국제연합 및 국제규범 등은 바로 인류가 이러한 교훈을 통해 만들어 온 제도이다.

고등학교 정치와 법, 생활과 윤리 활용

(사) <자료 1>~<자료 4>는 백신 국가주의의 찬성 혹은 반대의 논거로 사용될 수 있는 자료다.

<자료 1> 지적재산권 보호와 혁신

[자료 1-1]은 2020년에 전 세계 200개국을 대상으로 조사한 결과이다. 'IIPI(International Intellectual Property Index) 지수'는 각국의 지적재산권을 보호하는 법적, 정치적 환경을 측정하는 지표이고, 'GII(Global Innovation Index) 지수'는 각국의 혁신 정도를 보여주는 지표로 혁신을 장려하는 법제도 환경과 그로 인한 결과물을 합산하여 측정한다.

[자료 1-1] 각 지수의 분위별 국가 수(단위: 개)

GII 지수 / IIPI 지수	1분위 (상위 20%)	2분위	3분위	4분위	5분위 (하위 20%)
1분위 (상위 20%)	36	3	1	0	0
2분위	3	35	2	0	0
3분위	1	2	33	3	1
4분위	0	0	3	33	4
5분위 (하위 20%)	0	0	1	4	35

<자료 2> 백신 접종 시나리오에 따른 경제성장 전망

[자료 2-1]에서 시나리오 1은 백신이 개발되지 않았을 경우, 시나리오 2와 3은 선진 국이 백신을 개발한 후 단계별로 다른 국가들에게 백신을 공유하여 접종하는 경우 를 보여준다. [자료 2-2]는 각 시나리오에 따른 국가집단별 전년 대비 실질 GDP 성 장률 예상치이다.

[자료 2-1] 백신 접종 시나리오

X = 백신 없음 ○ = 백신 접종	선진국	개발도상국	최빈국
시나리오 1	X	X	X
시나리오 2	○	X	X
시나리오 3	○	○	○

[자료 2-2] 백신 접종 시나리오에 따른 실질 GDP 성장률 예상치

	선진국 평균	개발도상국 평균	최빈국 평균
시나리오 1	-8.6%	-7.8%	-9.9%
시나리오 2	-3.1%	-7.3%	-9.1%
시나리오 3	-1.3%	-1.9%	-3.2%

<자료 3> 생산 유형별 생산 비중의 변화

[자료 3-1]은 세계 각국의 생산 활동을 국내 소비형(가형), 수출형(나형), 국제 분업 형(다형)으로 구분하고 각 유형의 특징을 설명한 것이다. [자료 3-2]는 각 생산 유 형이 전 세계 총 생산량에서 차지하는 비중의 연도별 변화율(%p)을 나타낸 것이다.

[자료 3-1] 주요 생산 유형별 특징

생산 유형	원자재 수입	중간재 수입	생산품 형태	생산품의 수출
국내 소비형(가형)	X	X	최종재	X
수출형(나형)	○	X	최종재	○
국제 분업형(다형)	X	○	중간재	○

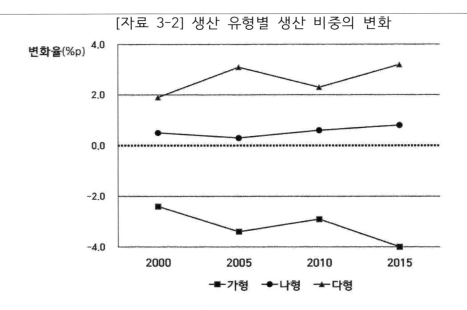

[자료 3-2] 생산 유형별 생산 비중의 변화

변화율(%p)

─■─가형 ─●─나형 ─▲─다형

<자료 4> 강대국의 딜레마

강대국 1, 2가 핵무기를 두고 경쟁하는 상황이다. 두 강대국은 아래의 조건에 따라 무기감축협약을 체결하는 안(협력)과 핵무기 경쟁에 돌입하는 안(비협력) 중 하나를 선택한다고 가정한다.

조건 1: 상대국이 협력 또는 비협력을 선택할 확률은 각각 50%로 예상한다.
조건 2: 두 강대국은 서로 정보를 공유할 수 없다.
조건 3: 상대방이 협력하지 않더라도 이에 대해 보복할 수 없다.

[자료 4-1] 강대국들의 선택에 따른 핵무기 보유 예상치

	무기감축협약 체결(협력)	핵무기 경쟁(비협력)
무기감축협약 체결(협력)	(3개, 3개)	(0개, 10개)
핵무기 경쟁(비협력)	(10개, 0개)	(8개, 8개)

* 괄호 안의 숫자는 선택을 통해 예상되는 강대국 1과 강대국 2의 핵무기 보유량을 순서대로 표시한 것임.

인하대학교
INHA UNIVERSITY

지원학부(과)		수 험 번 호						주민등록번호 앞6자리에 040512					

성 명

1번 답안

이줄 위에 답안 작성시 무효 처리됨

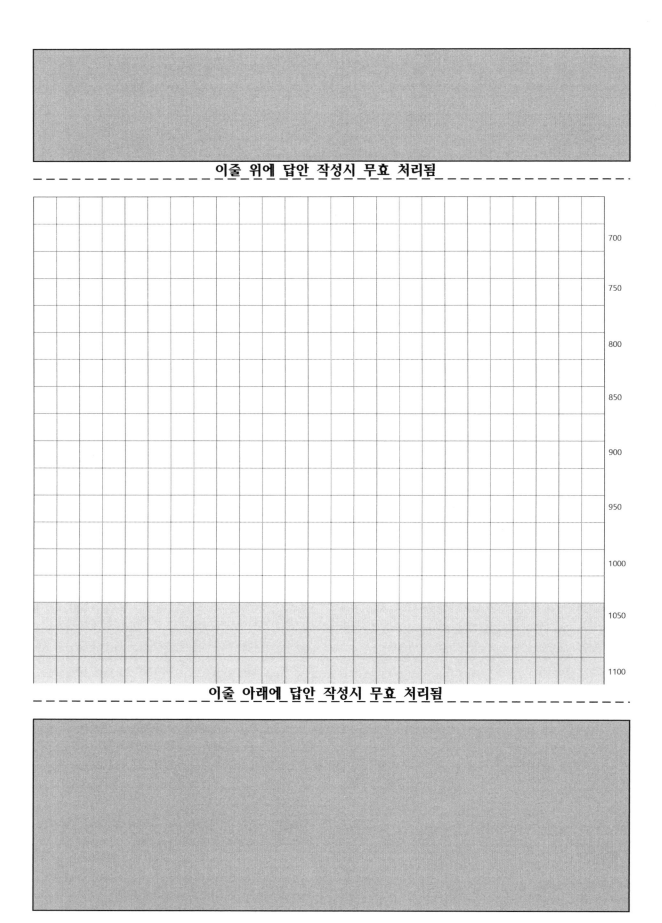

이줄 아래에 답안 작성시 무효 처리됨

2번 답안

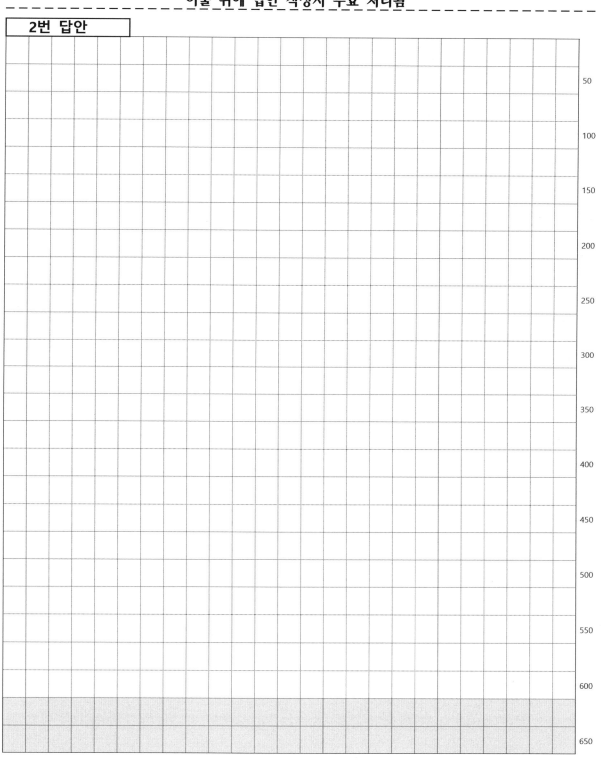

50

100

150

200

250

300

350

400

450

500

550

600

650

7. 2021학년도 인하대 수시 논술

[논제] 기본소득(basic income) 제도의 도입 여부에 대한 토론 상황이다. 기본소득은 고용 여부, 소득 및 자산 수준과 무관하게 무조건적으로 지급되고, 특정 생애주기나 사회경제적 계층과 상관없이 보편적으로 제공된다는 점에서 기존의 사회보장 제도와 구분된다. 아래의 물음에 답하시오.

[문항 1] <다음> 중 하나의 주장을 택한 후, 아래의 <조건>에 따라 논하시오. (1,000자 ±100자, 60점)

─────────────< 다 음 >─────────────

주장 1 : 기본소득 제도 도입을 찬성한다.	주장 2 : 기본소득 제도 도입을 반대한다.

─────────────< 조 건 >─────────────

1. 제시문 (가) ~ (바) 가운데 세 개를 활용하여 자신의 주장을 정당화할 것.
2. 조건 1에서 선택하지 않은 나머지 세 개를 활용하여 반론을 제기할 것.
3. 반론에서 제기된 논거들을 각각 재반박하여 자신이 선택한 주장을 옹호할 것.
4. 제시문의 문장을 그대로 옮기지 말 것.

[문항 2] 제시문 (사)의 <자료 1>~<자료 4>를 활용하여 아래의 <조건>에 따라 논하시오. (700자±60자, 40점)

─── < 조 건 > ───

1. <자료 2> ~ <자료 4>를 모두 활용하여 성과가 우수할 것으로 예상되는 정책안을 <자료 1>에서 두 개 선택하고, 그 이유를 제시할 것.
2. 선택한 두 개의 정책안 중 하나를 골라 [문항 1]에서 자신이 선택한 주장을 정당화할 것.
3. 제시문의 문장을 그대로 옮기지 말 것.

(가) 알래스카는 풍부한 천연자원의 개발로 외지인들이 유입되고 나가는 순환을 자주 겪으면서 자원기반 경제의 안정성이 떨어지고 사업 수익이 거주민에게 돌아가지 않는 문제가 발생하였다. 이에 알래스카주 의회는 공유재인 천연자원으로 얻은 수익이 알래스카 주민들에게 돌아갈 수 있도록 1976년에 '알래스카 영구 기금'을 만들어 1980년대부터 주민들에게 매년 1천 달러 이상의 배당금을 분배해 오고 있다. 알래스카 주민은 자원의 직접적인 소유주도 아니고 또 자원 개발에 직접적인 기여가 없을지라도 모두 일정한 개발 이익을 받고 있다. 이는 개발 과정에서의 경제적 소외와 자원 고갈로 인한 불안을 해결하기 위한 것이기도 하지만, 자원에 대한 알래스카 주민의 공동 권리를 인정하는 함의도 포함되어 있다.

모든 생산 활동은 일정한 자연적 조건을 토대로 삼고 있고, 사회가 집단적으로 참여하여 만든 인프라와 지식기반, 사회적 네트워크를 이용한다. 이러한 사회적 자산 역시 비록 인공적이긴 하지만 대지, 물, 공기, 자원 등과 같은 공유재의 성격을 지니고 있다. 특히 4차 산업의 발전으로 인한 빅데이터, 인공지능은 그 기술의 성격상 익명의 수많은 사회 구성원들의 정보와 참여를 바탕으로 하고 있어 공유재의 성격이 강하다. 한 사회의 구성원은 모두 이러한 공유재에 대해 일정한 권리를 가진 주주인 셈이다. 기업의 수익이 주주에게 적절하게 배당되듯이 모든 사회 구성원은 공유재를 활용한 경제활동의 수익으로부터 적절한 보상을 받을 필요가 있다.

고등학교 경제 활용

(나) 고대 그리스인들은 일을 두 가지로 구별하였다. 먼저 사적 영역에서 가계를 영위하는 데 필요한 노동을 '포노스(ponos)'라고 불렀다. 포노스는 비탄을 의미하는 '포에나(poena)'에서 유래된 데서 알 수 있듯이 주로 살림을 꾸려가는 데 요구되는 고되고 힘든 노동을 의미한다. 반면에 '프락시스(praxis)'는 생계 유지를 넘어선 공적 영역에서의 사회 활동을 말하는데, 폴리스에 기여하는 다양한 형태의 실천적 작업과 행위로서의 모든 노동이 여기에 포함된다. 가계의 존속이 공동체의 근간이라는 점에서 포노스 역시 삶에서 반드시 필요하고 중요한 노동이었음에도 불구하고, 아테네의 자유민들은 사적 영역에서의 노동만으로는 덕을 행하는 좋은 삶을 추구할 수 없다고 보았다.

사회적 가치를 인정받지 못하는 활동의 대표적인 예로 가사 노동이 있다. 아이를 키우고 아픈 가족을 보살피며 집안을 가꾸는 가사 노동은 오랫동안 공적인 가치를 인정받지 못한 채 사적 영역에 속한 노동으로만 간주되어 왔다. 공동체의 근간을 담당하는 이러한 노동은 가정뿐 아니라 공동체를 유지하는 데 반드시 필요하지만, 임금노동 중심의 경제체제 하에서는 그 사회적 가치에 대한 경제적 보상이 이루어지지 않고 있다. 가사 노동의 주체와 범위가 포괄적이어서 그 대상을 명확히 특정하기 어렵기 때문이다. 가사 노동뿐 아니라 노동으로 인식하지 못하지만 공동체의 삶에 기여하는 사적 영역의 활동은 우리 주변에 다양하게 존재한다. 만약 이러한 활동이 떳떳한 사회경제적 지위를 획득하게 된다면 과거와는 달리 많은 사람들은 자신의 삶이 공동체의 존립에 기여한다는 만족감을 느끼게 될 것이다.

고등학교 사회·문화 활용

(다) 사회권은 '궁핍으로부터의 자유', '빈곤으로부터의 자유'에서 시작되었기 때문에 개념 사적으로 '물질적 궁핍'과 관련된 제한적인 의미였다. 그러나 자본주의가 심화됨에 따라 빈곤, 질병, 장애, 노후, 실업 등이 더 이상 개인이 책임져야 할 문제가 아니라 사회적 문제라는 인식이 확산되면서, 사회권은 사회적 위험으로부터 개인을 보호하고 인간다운 생활을 유지하는 데 필요한 기본적인 급부를 국가에 청구하는 권리로 발전했다. 이는 사회권이 개인의 권리로서 실현되어야 하고 그 이행을 규범적으로 강제할 수 있어야 함을 의미했다.

사회권의 실현은 국가의 적극적 급부에 주로 의존하기 때문에 필연적으로 제한된 예산 내에서 재정을 배분하는 문제와 관련된다. 국가 재정이 제한되어 있기 때문에 사회권을 향유해야 하는 모든 개인 중에서 누구의 사회권을 우선적으로 고려해야 하는지는 사회권 실현을 위해 해결해야 할 어려운 문제다. 사회권은 그 성격상 말리부 해변에서 서핑을 즐기는 부유한 사람보다 의식주를 비롯한 기본적 욕구 충족이 어려운 사람에게 필요한 재화와 가치를 우선 분배하는 것을 원칙으로 한다. 그렇지만 사회적 약자는 국가의 정책 결정에 참여하거나 영향을 미칠 수 있는 정치적·경제적 영향력이 부족하고 정치 과정에서 과소 대표되는 경향이 있기 때문에 민주적 의사결정 과정에서 소외되기 쉽다. 따라서 많은 국가는 사회적 약자들도 인간으로서의 존엄과 가치를 지니고 살아갈 수 있도록 사회권을 헌법에 규정하고 있고, 나아가 헌법에 규정된 사회권이 실질적인 구속력을 갖도록 다양한 제도를 마련하고 있다.

고등학교 통합사회, 정치와 법 활용

(라) 태초의 지구는 누구의 소유도 아닌 지구에 사는 모든 생명체의 공유물이었다. 그러나 오늘날 대부분의 대지는 누군가의 소유다. 국가나 공공의 소유지도 존재하지만 많은 부분은 개인의 소유다. 태초에 모두의 공유물이었던 지구가 어떻게 이러한 사적 소유의 대상이 되었을까? 로크(J. Locke)는 가치를 생산해내는 노동에서 그 답을 찾았다. 그에 따르면 모든 사람은 자신의 신체에 대해 소유권을 가지고 자신이 아닌 어느 누구도 그 권리를 가질 수 없다. 따라서 자신의 노동과 손으로 한

일은 온전히 자신에게 속한다고 할 수 있다. 자연이 우리 모두에게 제공해주는 것에서 무언가를 꺼내어 자신의 노동을 섞고 거기에 자신의 것을 보탬으로써 그것은 자신의 소유가 된다. 노동을 거치는 과정에서 공유물의 상태에 무언가가 부가되고, 그 부가된 만큼 다른 사람들의 공동의 권리를 배제할 수 있게 된 것이다. 샘에 흐르는 물은 만인의 것이지만 주전자 안의 물은 그 물을 퍼낸 사람의 것임을 누가 의심할 수 있겠는가.

노동을 통한 사적 소유가 정당화될 수 있는 또 다른 이유는 이를 통해 인류의 공동 재산이 줄어드는 것이 아니라 오히려 늘어난다는 점이다. 사적 소유권을 통해 토지가 개간되고 경작되는 경우 버려져 있을 때보다 더 많은 가치를 낳는다. 개간하고 경작한 1에이커의 토지가 황무지인 채로 버려진 1에이커의 토지보다 몇 배의 산출을 낳는 것은 자명하다. 즉 사적 소유권의 인정은 인간이 더 적극적으로 생산적인 노동에 참여하도록 격려함으로써 개인의 재산은 물론 인류 공동의 자산을 증식하는 데 기여할 수 있는 것이다. 뿐만 아니라 노동에 근거한 사적 소유의 보장은 반대로 인류가 소유한 재산 중 어떤 것이 정당하고 또 그렇지 않은지를 분별하는 기준을 제공한다. 이에 따르면 누구든 자기 노동에 의거하지 않은 재산에 대해 정당한 소유권을 주장하기 어렵다.

고등학교 경제, 윤리와 사상 활용

(마) 포드 2세(H. Ford II)는 자동화된 자동차 공장을 함께 둘러보던 미국 자동차 노조위원 장인 로이터(W. Reuter)에게 조롱하듯, "위원장님, 저 로봇들로부터 노조회비를 어떻게 받으실 건가요?" 라고 물었다. 로이터는 곧장, "회장님, 저 로봇들에게 어떻게 차를 팔 생각이 십니까?" 라고 맞받아쳤다. 경제의 근간을 이루는 자동차, 의료, 금융, 가전 산업의 대부분은 수억 명의 소비자가 존재하는 시장을 필요로 한다. 시장을 움직이는 힘은 시장에 투입된 자본의 총액뿐 아니라 개별 수요에서 나온다. 경제에서 제품과 서비스에 대한 최종 수요를 창출하는 주요한 주체는 개인이다. 개인의 소비는 미국 GDP의 3분의 2이상을 차지하며 다른 선진국에서도 총수요의 60퍼센트 이상을 차지한다.

대규모 시장경제에서 소비자들 간 구매력의 분배는 매우 중요하다. 소득이 소수에게 극단적으로 집중되면 소득이 높은 사람들은 낮은 사람들보다 소득 대비 소비 지출이 낮기 때문에 총수요가 줄어들 수밖에 없다. 미국의 기업인이자 정치인인 롬니(W. M. Romney)의 예를 들어보자. 2010년에 그의 소득은 2,170만 달러였다. 롬니가 훨씬 더 사치스런 생활을 하기로 마음먹는다 하더라도 평상시에 지출하는 비용은 총소득의 극히 적은 일부에 불과할 것이다. 그렇지만 같은 금액이 예컨대 5백 명의 사람들에게 43,400달러씩 분배된다면 이 돈의 상당 부분은 소비에 지출될 것이다. 이는 소비하지 않는 로봇이 노동하게 될 사회에 대비하여 모든 사람들이 소비자로서 구매력을 갖춰 시장에 참여하도록 하는 지원이 요구되는 까닭이다.

고등학교 통합사회, 경제 활용

(바) 일본어 '프리타'는 프리(free)와 아르바이트(arbeit)의 합성어로 '정규직이 아닌 파트타임이나 아르바이트를 하며 살아가는 사람'을 뜻한다. 프리타는 1990년대 등장한 신조어로 당시로서는 어딘가 해방적인 울림이 있었다. 거품 경제 시기였기에 일자리 수요가 폭증하고 아르바이트나 일용직 임금도 크게 올라서 파트타임으로도 적지 않은 수입을 올리며 큰 걱정 없이 지낼 수 있었다. 그래서 종신고용으로 기업에 묶인 샐러리맨들을 야유하며 기업 사회에 거리를 둔 채 자신이 납득할 수 있는 노동 방식을 위해 자발적으로 프리타가 된 젊은이들도 적지 않았다. 이러한 젊은이들의 등장은 가정보다 회사를 중시하고 평생 일만 하며 경제적 안정을 최우선 가치로 삼아오던 일본 사회가 변하고 있다는 징후이기도 했다. 프리타는 조직 문화에 얽매이기 싫어하는 새로운 세대의 등장이자 경제적 동물로 살지 않으려는 새로운 문화 현상으로 이해되었다.

프리타는 미래를 위한 투자보다 당장의 취미 생활과 소소한 행복을 더 소중하게 여긴다. 그래서 필요한 돈이 모이면 주저 없이 일을 그만두고 최소한의 돈만 벌며 나머지 시간은 자신이 원하는 삶을 즐기겠다는 입장이다. 문제는 이런 청년 세대의 취업 기피 성향으로 인해 경제 성장의 동력이 떨어지고 사회 발전이 정체된다는 것이다. 프리타의 숫자가 증가하고 전 연령대로 확산되면서 중소기업의 경우 원하는 인재를 채용하기 더욱 어려워지고 있다. 거품 경제가 붕괴한 이후, 프리타는 직장에 얽매이지 않고 자유롭게 자기 삶을 살겠다는 저항적 의미보다 점차 일본 사회의 골칫거리로 인식되고 있다.

고등학교 사회·문화, 생활과 윤리 활용

(사) 경제협력개발기구(OECD) 회원국인 '갑(甲)국'은 현재 사회보험과 공공 부조로 이루어진 사회보장 제도를 운영하고 있다. 최근 갑국은 새로운 복지정책의 하나인 기본소득 제도의 도입을 검토하고 있다. 〈자료 1〉은 현재 거론되고 있는 A, B, C, D 네 가지 복지정책 안(案)의 특징을 나타낸다.

〈자료 1〉 갑(甲)국의 복지정책안

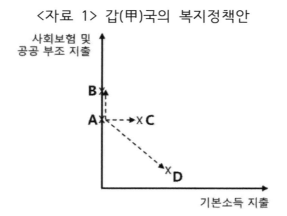

주 1) A안은 현재의 복지정책을 유지하는 것을 의미함.
주 2) 각 정책안의 복지예산과 재정마련 방안은 선택에 영향을 미치지 않는다고 가정함.

<자료 2>부터 <자료 4>는 각각의 정책안에 대한 시뮬레이션을 통해 정책 시행 5년 후의 경제활동인구, 복지예산 집행, 소득분포 등에 관한 성과를 추정한 결과다. 각 자료가 정책 성과에서 차지하는 중요도는 동일하다고 가정한다.

<자료 2>는 각 정책안에 따른 20대 ~ 40대 연령의 경제활동인구 변화를 추정한 결과다. 5년 후의 산업구조 및 노동에 대한 수요는 현재와 같다고 가정한다.

<자료 2> 각 정책안에 따른 경제활동인구 변화(추정치)

정책안	5년 후 현재	경제활동 인구	비경제활동 인구	정책안	5년 후 현재	경제활동 인구	비경제활동 인구
A	경제활동인구	93.5%	6.5%	B	경제활동인구	93.2%	6.8%
	비경제활동인구	5.9%	94.1%		비경제활동인구	5.2%	94.8%
C	경제활동인구	87.3%	12.7%	D	경제활동인구	86.9%	13.1%
	비경제활동인구	2.8%	97.2%		비경제활동인구	2.2%	97.8%

주) 표 안의 수치는 현재의 경제활동인구와 비경제활동인구를 각각 100%로 보았을 때 5년 후의 값임. A안을 예로 들면 현재 경제활동인구가 1,000명이라면 5년 후 935명은 경제활동인구가, 65명은 비경제활동인구가 됨을 의미함.

<자료 3>은 각 정책안에 따른 복지예산의 집행 실적을 지급 대상 적격성과 실제 수급여부에 따라 분류한 것이다. 표 안의 수치는 총 복지예산(기본소득 포함) 중 2사분면과 4사분면에 분류된 금액의 비율을 추정한 것이다.

<자료 3> 적격성과 수급 여부에 따른 복지예산 집행 실적(추정치)

정책안	2사분면	4사분면
A	4.2%	5.2%
B	4.1%	4.4%
C	1.2%	1.8%
D	1.0%	1.5%

<자료 4>는 각 정책안의 추진으로 예상되는 소득분포에 대한 그림이다. 소득분포는 아래 식을 통해 산정된 처분가능소득을 이용하여 5분위 분류법에 따라 도출하였다. 시장소득은 근로나 자산을 통해 직접 벌어들인 소득을 의미하고, 공적 이전소득은 정부의 복지급여(기본소득 포함)로 지급되는 각종 수당·연금 등의 소득을 말하며, 공적 이전지출은 세금·건강보험 등 국가에 납부하는 비용을 나타낸다.

> 처분가능소득 = 시장소득 + 공적 이전소득 - 공적 이전지출

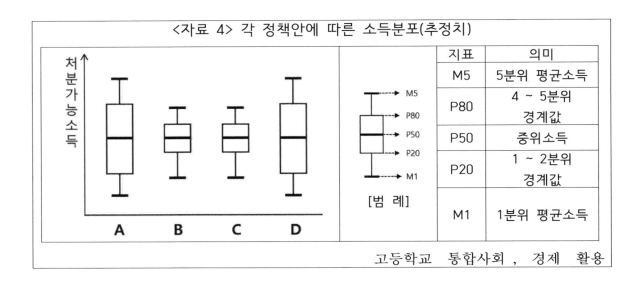

<자료 4> 각 정책안에 따른 소득분포(추정치)

지표	의미
M5	5분위 평균소득
P80	4 ~ 5분위 경계값
P50	중위소득
P20	1 ~ 2분위 경계값
M1	1분위 평균소득

고등학교 통합사회 , 경제 활용

인하대학교
INHA UNIVERSITY

지원학부(과)	수험번호	주민등록번호 앞6자리(예: 040512)

성 명

1번 답안

50

100

150

200

250

300

350

400

450

500

550

600

650

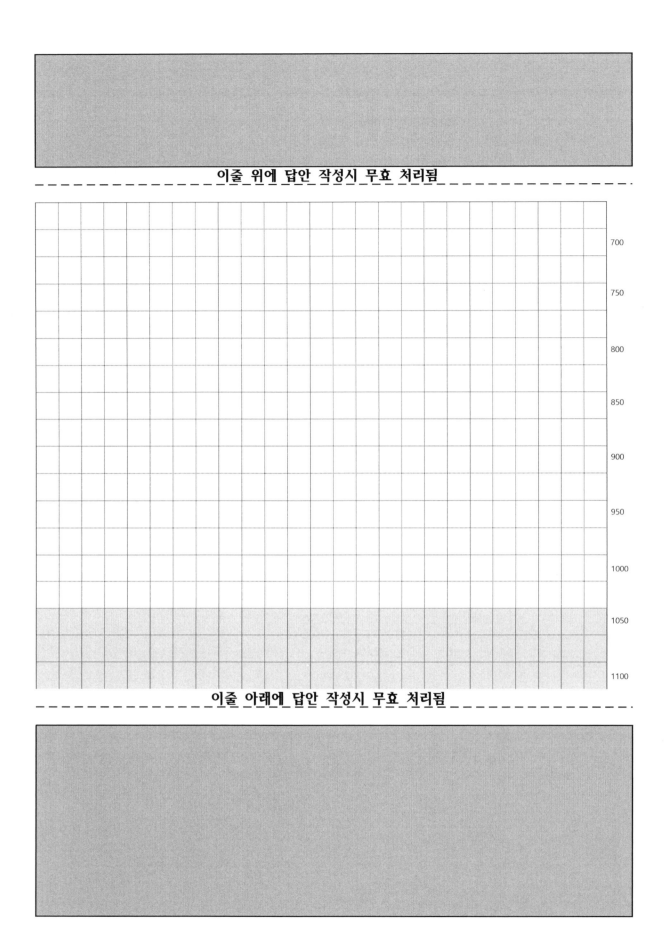

700
750
800
850
900
950
1000
1050
1100

2번 답안

50

100

150

200

250

300

350

400

450

500

550

600

650

8. 2021학년도 인하대 모의 논술

[논제] 대의 민주주의가 효과적으로 작동하기 위해 다수대표제(지역구 소선거구제)와 비례대표제(전국구 대선거구제) 중 어떠한 선거제도가 더 바람직한지를 토론하는 상황이다. 물음에 답하시오.

[문항 1] <다음> 중 하나의 주장을 택한 후, 아래의 <조건>에 따라 논하시오. (600자 ±100자, 60점)

─── <다 음> ───

주장 1 : 다수대표제가 더 바람직하다.	주장 2 : 비례대표제가 더 바람직하다.

─── <조 건> ───

1. 제시문 (사)의 <자료 2>~<자료 5>를 모두 활용하여 자신이 택한 주장에 가장 잘 부합하는 국가를 하나 선택하고, 그 국가를 선택한 이유를 같은 자료를 활용하여 제시할 것.
2. 제시문의 문장을 그대로 옮기지 말 것.

[문항 2] 아래의 <조건>을 고려하여 [문항 1]에서 택한 자신의 주장을 정당화하고, 이에 대해 예상되는 반론을 제시한 후, 이를 재반박하시오. (1,000자±100자, 50점)

────────────── < 조 건 > ──────────────

1. 제시문 (가) ~ (바) 가운데 세 개를 활용하여 자신의 주장을 정당화할 것.
2. 반론의 논거 역시 제시문 (가) ~ (바) 중 세 개를 활용하여 제시할 것.
3. 재반박에서는 제시문 (사)의 <자료 1>에서 자신이 선택한 국가의 특징을 분석하여 자신의 주장을 옹호할 것.
4. 제시문의 문장을 그대로 옮기지 말 것.

(가) 언어는 의사소통의 수단이기 이전에 세계를 이해하는 인식의 창이자 고유한 정체성을 부여하는 문화이기도 하다. 필리핀 민도르섬에 사는 하우누족은 450여종의 동물과 1,500여종의 식물을 구별한다. 북극에 사는 이누이트족은 얼음과 눈의 강도에 따라 수십 개의 서로 다른 단어를 사용한다. 이처럼 인간은 언어를 통해 다양한 문화, 기술, 예술, 음악 등을 창조할 수 있기에 언어는 인간이 축적해 놓은 모든 풍요로운 지혜의 원천이 된다. 기술은 다른 새로운 기술로 대체될 수 있지만 언어는 그렇지 않다. 각 언어마다 세계를 보는 자신만의 창이 있기에 모든 언어는 살아 있는 박물관이자 문화의 기념비와도 같다. 따라서 언어 다양성의 일부라도 잃어버리게 된다면, 이는 우리 모두에게 큰 손실을 안겨 준다고 할 수 있다.
　언어학자들은 1970년대에 들어서야 비로소 사용자 수가 약 350명가량 되는 힉사카리아나라는 언어를 발견했다. 이 언어는 아마존강 유역의 여러 소규모 언어들 중 하나이다. 힉사카리아나어의 특이한 점은 이제까지 알려진 언어 중 이 언어만이 유일하게 목적어가 문장의 맨 앞에 놓인다는 것이다. 그러니까 "나는 책을 읽는다"라는 문장을 "책을 읽는다 나는"과 같은 식으로 표현하는 것이다. 이 언어를 발견하지 못했다면 우리는 인간의 언어가 목적어·주어·동사의 어순을 가질 수도 있다는 사실을 알지 못했을 것이다. 이국적인 생소한 언어를 언어학자들의 연구 대상에서 제외하는 것은 식물학자에게 장미와 온실 재배 토마토만을 연구하도록 한 뒤 식물의 세계에 대해 얘기해 줄 것을 기대하는 것과 같다. 언어 다양성은 인간의 의식구조를 들여다볼 수 있는 가장 유용한 시각을 제공해 준다. 그 속에는 인간이 자신의 경험을 체계화하고 분류하는 창조적인 방식이 담겨 있다. 이런 까닭으로 사용자가 얼마 되지 않는다고 소수 언어가 사라지는 것을 방치하는 것은 바람직하지 않다. 왜냐하면 우리는 서로 다른 언어의 공존을 통해 전 세계의 다양한 삶의 경험을 포섭하고 서로 다른 사회 문화에 대한 인식도 넓힐 수 있기 때문이다.

고등학교 언어와 매체, 생활과 윤리 활용

(나) 미국의 곤충학자 윌리엄 모턴 휠러(W. M. Wheeler)는 협업(協業)을 통해 거대한 집을 만들어내는 개미를 관찰하고, 개미는 개체로서는 미미하지만 군집(群集)하여서는 높은 지능체계를 형성한다고 주장하였다. 미국 잡지 <더 뉴요커>(The New Yorker)의 논설위원인 제임스 서로위키(J. Surowiecki)에 따르면 개인의 다양성과 독

립성이 보장되고 적절한 통합기제가 작동되는 사회에서는, 다양한 관점을 지닌 시민의 집단지성이 그 안의 가장 우수한 집단의 판단보다 지능적이라고 말한다. 시민의 협력적 지혜를 높이 평가하는 이러한 시각은 새롭게 부각되는 현대사회의 특징을 잘 보여준다. 과거엔 대중이 일방적으로 전문가의 의견을 존중하고 미디어의 말에 귀를 기울이고 평론가의 평가를 수동적으로 수용했다면, 오늘의 시민은 직접 지식을 생산하고, 일인 미디어로 주체적인 자기 발언을 하며 적극적으로 예술과 문화, 사회와 정치를 비판하고 평론한다.

　모든 분야를 섭렵하기 어려울 정도로 방대한 지식의 바다에 살고 있는 현대 시대에 엘리트 지식인들의 한계는 뚜렷하다. 과거의 지식인은 다양한 분야에 폭넓은 지식을 가지고 종합적으로 사고하는 사람을 말했다. 반면 오늘날의 지식인은 한 가지 분야에 깊은 지식과 경험을 가지고 미시적 지식 생산에 집중하는 사람을 지칭하는 경향이 크다. 독일어로 '파흐이디어트(Fachidiot)'라는 말이 있다. 이는 '분야'라는 의미의 '파흐(Fach)'와 '바보'라는 의미의 '이디어트(idiot)'의 합성어로서 자기 분야 밖에 모르는 사람을 가리킨다. 현실 세계를 통합적인 관점으로 보지 못하는 지식인이 늘어남에 따라 보다 거시적 관점에서 세계를 보고자 하는 시민의 욕구는 커졌다. 특히 이러한 욕구는 다양한 분야와 집단의 협업을 통한 지식산업의 발전을 촉진했다. 특정 지식인이 전 분야를 포괄하기 힘든 현대의 지식 구조에서 인터넷의 연대를 통한 집단 지성은 과거의 '르네상스형 인간'의 자리를 대신하고 있다.

고등학교 윤리와 사상 , 통합사회 활용

(다) 허쉬만(A. Hirschman)은 수요량의 변화가 가격이 아닌 상품의 질적 변화에 의해 발생할 수 있음에 주목했다. 그는 상품의 질적 하락에 대한 소비자의 대응을 이탈(exit), 항의(voice), 충성(loyalty)이라는 개념으로 설명했다. 이탈은 현재 구매하고 있는 상품이나 소속된 조직을 포기하고 다른 대안들을 선택하는 것을 말하고, 항의는 현재의 상품이나 조직의 상황을 개선하기 위해 적극적으로 행동하는 것을 뜻하며, 충성은 현재의 상품이나 조직이 개선되기를 인내심을 갖고 기다리는 것을 의미한다. 이탈은 경쟁적인 시장의 존재를 전제한다. 예를 들어, 특정 기업이 만든 상품의 질에 불만을 가진 소비자가 더 이상 그 기업의 상품을 사지 않겠다고 하려면 그 상품이 교환되는 시장은 경쟁적 시장이어야 한다. 독점시장이나 생산자들 간 담합이 가능한 과점시장에서는 소비자의 이탈 자체가 불가능하다.

　또한 소비자가 상품의 질적 저하에 대응하기 위해서는 이탈 혹은 항의할 대상이 분명해야 한다. 누가 잘못했는지 모호하여 서로에게 책임을 전가할 수 있는 상황이라면 상품의 질적 저하에 대한 책임을 묻기 어렵다. 인터넷 망에 과부하가 발생하여 속도와 접근성이 떨어진 상황을 예로 들어보자. 통신업체는 자신들이 설치한 망에 콘텐츠업체가 무임승차했기 때문에 이 문제가 발생했다고 하면서 콘텐츠업체들이 망 시설 확충에 대한 비용을 일정량 부담해서 인터넷 속도를 개선해야 한다고 주장한다. 한편 콘텐츠업체는 소비자가 단순히 통신망에 접속하기 위해서가 아니라 자신들이 제공한 콘텐츠를 즐기기 위해 통신 요금을 낸다고 하면서 통신사가 망 시설을 확충하여 속도와 접근성이 떨어지는 문제를 해결해야 한다고 주장한다. 이런 상황에서 소비자는 인터넷 속도와 접근성 저하 문제의 책임 소재가 어디에 있는지 알기 어렵기 때문에 이탈하거나 항의하기 어렵다. 그래서 상품 질의 개선을 위한 소비자의 활동 영역은 그만큼 줄어든다.

고등학교 경제, 정치와 법 활용

(라) 〈나는 가수다〉, 〈불후의 명곡〉, 미국의 배심원제도, 금융통화위원회의 통화정책, 방사능 폐기장 선정 등은 서로 상관없이 보이는 것 같으나 공통점이 한 가지 있다. 모두 다수결 방식으로 우승자, 피고인 유무죄, 주요 정책 방향 등을 결정한다는 것이다. 이처럼 다수결 원칙은 민주사회 내 다양한 이해관계자들 간의 의견 수렴과정에서 최종 해결책을 찾는 데 자주 이용된다. 일찍이 로크는 다수결은 사회계약의 전제로서 민주주의를 구성하는 기본 원칙이라고 주장하였다. 그에 의하면 공동체는 상호 동의에 기반을 둔 사회계약에 의해 구성되며, 이 공동체는 하나의 유기체로서 집단적인 의사결정을 내려야 한다. 그리고 하나의 집단적인 의사를 형성하기 위해서는 공동체에서 상대적으로 더 큰 힘이라 할 수 있는 다수의 동의에 따라야 하며, 소수가 다수의 의견에 따르는 것은 공동체가 구성될 때 처음부터 약속된 전제이다. 이와 같이 로크는 다수결을 공동체 구성원이 따라야 할 당위적인 것으로 보고 있다.

또한 헬렌 랜드모어(H. Landemore) 등과 같은 현대 정치학자는 다수결의 정당성을 정치적 평등과 사회적 효용의 극대화에서 찾는다. 정치적 평등이란 모든 사람의 정치적 권리가 동등하다는 것으로, 모든 유권자가 투표에서 동등한 영향력을 행사한다는 '1인 1표의 원칙'도 이러한 정치적 평등에 기반하고 있다. 따라서 어떤 이의 권리가 다른 이보다 크다고 할 수 없기에 사람들 간의 이견은 다수결의 원칙에 의해 해결되는 것이 가장 합리적이다. 또한 다수결의 원칙에 의해 최대한 많은 사람의 선호가 대변될 수 있고, 이를 통해 사회적 효용이 극대화될 수 있다. 모든 사람을 만족시키는 안이란 존재할 수 없기에, 최대한 많은 이를 만족시키는 안이 선정되는 것은 합리적일 뿐 아니라 사회적으로 바람직하다. 따라서 이들은 모두의 의견을 반영하려는 이상적인 의사결정 방식을 비판하며, 만장일치가 어려운 상황이라면 최대한 많은 이의 정치적 권리가 반영되는 것이 합리적이고 바람직하다고 주장한다.

고등학교 통합사회, 윤리와 사상 활용

(마) '브렉시트(Brexit)' 국민투표에서 탈퇴 진영이 잔류 진영을 약 4% 차이로 이겼다. 이 결과를 경제학자 그레고리 맨큐(N. G. Mankiw)는 『오만과 편견(Pride and Prejudice)』 52% 대 『이성과 감성(Sense and Sensibility)』 48%라고 비유했다. 영국 여류작가 제인 오스틴(J. Austen)의 대표작 두 편의 제목으로 찬반 지지율을 해석한 것인데, 그에게는 브렉시트 찬성이 오만과 편견의 결과로 여겨졌던 것 같다. 브렉시트를 반대했던 진영에서는 국민투표가 유권자의 입장을 제대로 반영하지 못

했다고 주장한다. 또 국가의 운명과 관련된 브렉시트는 한 번의 국민투표로 결정할게 아니라 선출된 '프로 정치인'들이 몇 날 며칠 토론을 하고, 의사결정 이후에도 추가로 발생하는 문제들에 대해 함께 해결해나가야 했다고 아쉬워하기도 한다. 어떤 사람은 일반 대중이 브렉시트의 의미를 제대로 알았더라면 찬성표를 던지지 않았을 것이라고 하고, 또 어떤 이는 EU에 대한 평가처럼 보이는 브렉시트 투표가 실은 EU에 관한 의견표시가 아니라 단지 영국 상황에 대해 항의하기 위한 것이라고 말하기도 한다.

브렉시트에 이어 또 한 번의 충격적인 투표가 있었다. 의원 내각제인 터키에서 의회의 통제로부터 상대적으로 자유로울 뿐만 아니라 사법부 고위 재판관들의 임명권을 가지며 심지어는 향후 10년까지도 장기집권 할 수 있는 길을 열어놓은 대통령제 개헌안이 국민투표 결과 통과된 것이다. 87%의 높은 투표율을 보인 가운데 찬성 투표가 51.3%로 반대를 2.6% 포인트 앞섰다. 이번 개헌안이 통과된 데는 현 정부가 진화론 교육 취소 등 이슬람식 교육을 부활시키고, 저소득층을 위한 복지를 늘리면서 무슬림의 절대 지지를 얻은 것이 결정적인 역할을 하였다. 하지만 개헌 지지자들에게 개헌이 위험하다는 지적은 무의미해 보인다. '스스로 독재 속으로 걸어간다'는 손가락질 속에서도 이들에게 개헌은 국민인 자신들의 뜻을 반영할 '민주주의'다. 빈민지원과 이슬람화 정책 앞에서 약 1세기 동안 유지해 온 건국이념이었던 케말리즘(정교 분리 개혁)이 위기에 처하고, 대신 막강한 권력을 독점하는 이른바 '21세기 술탄'이 부활하게 된 것이다.

고등학교 정치와 법, 세계지리 활용

(바) 주식회사의 주요 의사결정은 주주가 보유한 지분의 크기를 기준으로 한 다수결의 원칙에 따라 이루어진다. 때문에 소액주주들은 각자 출자금액에 비례하는 지배권을 행사하지 못하고 지배주주에게 그 권리를 빼앗길 우려가 높다. 주주행동주의는 이와 같은 지배주주의 과도한 권한을 견제하기 위하여 소액주주들의 연대를 통해 기업경영에 적극 개입하려는 목적을 가진다. 일반적으로 주주행동주의는 소액주주의 권익을 보호하는 긍정적 효과가 있지만, 지나치게 강화된 소액주주의 권익이 회사에 부정적인 영향을 미칠 수도 있다는 주장도 제기된다. 지배주주의 경우 회사의 경영실패가 곧바로 자신의 피해로 이어지기 때문에 경영진에 대한 통제가 철저하며 의사결정에 신중을 기한다. 반면 소액주주들은 경영실패로 인한 피해 정도가 지배주주보다 훨씬 작고 단기차익에 관심이 높기 때문에 단기수익을 추구하는 무리한 전략을 선호하거나 기업 경쟁력을 높이는 장기 전략에는 무관심할 수 있다. 의사결정 과정에서도 소액주주들은 통일된 목소리를 내기 어려운 경우가 많고, 경영진도 소액주주들로부터의 책임추궁과 혼란을 회피하기 위해 보수적 전략에 안주할 가능성도 있다.

최근에는 단기이익을 추구하는 일부 헤지펀드가 주주 행동주의로 포장되는 사례도 나타난다. '이리떼(wolf pack)'라 불리는 이들은 공시의무가 없는 소액지분을 서로 나누어 보유하고 있다가 어느 순간 연대하여 회사를 공격한다. 이리떼 펀드들은 주로 대주주 지분율이 낮은 기업들을 목표로 삼는데, 책임감이 부족하고 단기이익에 민감한 소액주주들이 헤지펀드에 쉽게 지분을 팔아버리기 때문이다. 헤지펀드의 공격을 받은 한 기업은 단기적으로 주가를 상승시키기 위해 연구개발 투자를 급격히 줄이고 기술연구소를 폐쇄하여 수천 명의 연구 인력을 감축하는 비용절감을 추진하기도 하였다.

고등학교 경제 활용

(사) 현대의 민주주의는 '대의 민주주의(representative democracy)'로, 대표를 선출하여 국정의 운영을 맡기는 정치체제이다. 이러한 대의 민주주의가 효과적으로 작동하기 위해서는 '대표성'과 '책임성'이 제고되어야 한다. 대표성이란 '대표가 얼마나 시민의 선호와 이익을 대변하는가'의 문제로, 정책결정 과정에서 보다 다양한 시민들의 이해관계가 반영될수록 높아진다. 책임성은 '대표가 얼마나 자신의 결정에 정치적 책임을 지는가'의 문제로, 시민들이 반복된 선거의 경험을 통해 대표의 정책성과에 기반하여 투표할수록 높아진다.

다음의 자료는 얼마 전 전국단위의 국회의원 선거를 치른 A, B, C, D 네 국가에 대한 정보이다. <자료 1>은 각국의 민주주의 역사, 인종적 동질성, 지배적 종교, 이민자 비율, 그리고 각국이 채택하고 있는 선거제도를 정리한 표이다. 민주주의 역사는 민주화가 된 이후부터 현재까지 민주주의 체제가 지속된 기간(년)을, 인종적 동질성은 '무작위로 뽑은 두 명의 국민이 서로 다른 인종에 속할 확률'을 의미하는 '인종언어 파편화 지수(Ethnolinguistic Fractionalization Index)'를, 지배적 종교는 그 나라 국민의 70%가 신자로 있는 종교를, 이민자 비율은 전체 인구에서 해외에서 이주해 온 이민자의 비율을 통하여 측정하였다.

<자료 1> A, B, C, D 네 국가의 특징 및 선거제도

국가	민주주의 지속기간(년)	인종언어 파편화 지수	지배적 종교	이민자 비율(%)	선거제도
A	80	0.75	없음(다양)	12.8	다수대표제
B	110	0.67	없음(다양)	14.1	비례대표제
C	5	0.05	가톨릭	2.7	다수대표제
D	3	0.08	개신교	3.0	비례대표제

<자료 2>와 <자료 3>은 선거가 치러진 후 네 국가의 정치적 상황을 보여준다. <자료 2>는 네 국가의 각 정당이 선거에서 득표한 비율(득표율, %)과 의석을 차지한 비율(의석률, %)을 보여주는 그래프이다. <자료 3>은 각국 시민의 진보-보수 이념성향 분포(그래프에서 곡선, 0: 매우 진보적 ~ 10: 매우 보수적)와 국회 진입에 성공한 각 정당의 이념적 위치(그래프에서 수직선)를 보여주는 그래프이다.

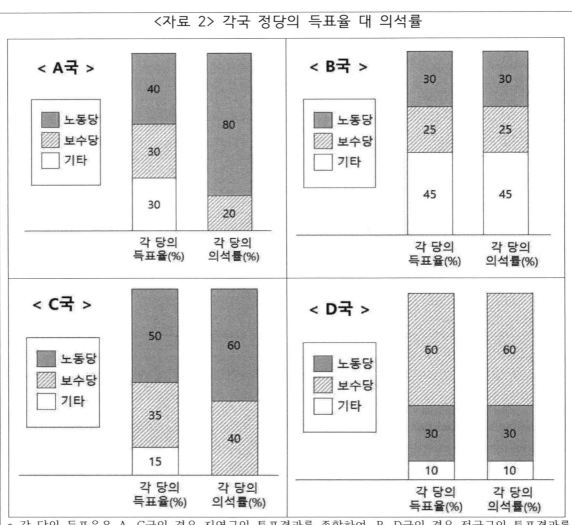

<자료 2> 각국 정당의 득표율 대 의석률

* 각 당의 득표율은 A, C국의 경우 지역구의 투표결과를 종합하여, B, D국의 경우 전국구의 투표결과를 바탕으로 계산됨

<자료 3> 시민의 이념성향 분포와 각 정당의 이념적 위치

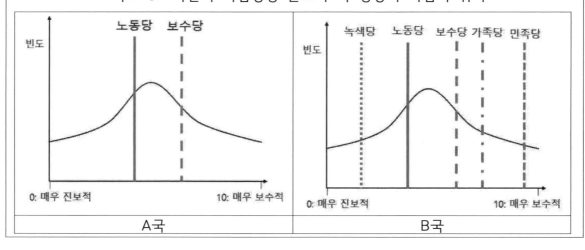

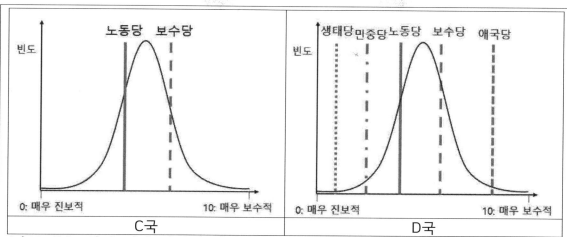

<자료 4>는 선거 직전 각국의 거시경제 상황과 선거 결과를 정리한 표이다. 선거가 치러질 당시 A, D국의 집권여당은 주로 친기업적 성향을 지닌 보수당이었고, B, C 국의 집권여당은 주로 노동자의 권익에 앞장서는 노동당이었다. <자료 5>는 선거 직후 치러진 설문조사 결과, 개인 수준에서 유권자가 각자의 정부에 대한 평가(1: 매우 못함 ~ 4: 매우 잘함)를 바탕으로 투표할 확률(%)을 보여주는 그래프이다. 그 래프는 유권자의 투표 선택에 영향을 미치는 기타 요인들을 통제한 회귀모형을 통 해 도출되었다.

<자료 4> 선거 직전 1년간의 거시경제 상황과 선거 결과

국가	1인당 GNI 성장률 (선거 직전해,%)	임금노동자 계층의 소득구조 변화(%) 여당집권 말 \ 여당집권 초	빈곤하지 않음	빈곤함	여당	직전 선거대비 여당의 득표율 증감(%)	여당의 재집권 여부
A국	-5	빈곤하지 않음	78.8	21.2	보수당	-20	재집권 실패
		빈곤함	1.5	98.5			
B국	4	빈곤하지 않음	96.9	3.1	노동당	-5	재집권 성공
		빈곤함	25.4	74.6			
C국	12	빈곤하지 않음	95.4	4.6	노동당	10	재집권 성공
		빈곤함	18.1	81.9			
D국	-3	빈곤하지 않음	61.4	38.6	보수당	15	재집권 성공
		빈곤함	1.7	98.3			

* 소득구조에서 '빈곤함'은 소득이 해당 국가 중위소득의 50% 미만을, '빈곤하지 않음'은 그 나머지를 의미함.
** 임금노동자가 전체 유권자에서 차지하는 비중은 네 나라 모두에서 선거결과를 좌우할 만큼 다수를 차지함.
*** 네 나라 모두에서 경제가 해당 선거의 가장 중요한 쟁점이었음.

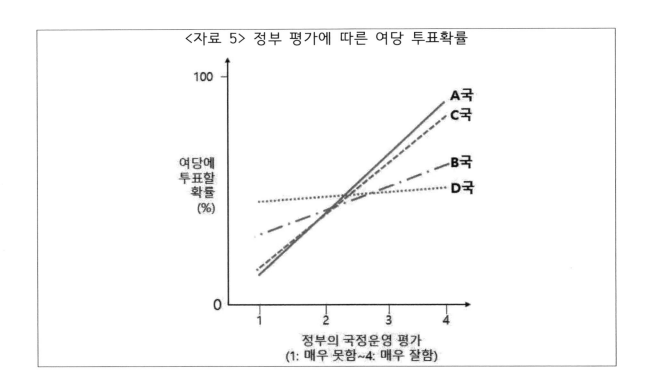

<자료 5> 정부 평가에 따른 여당 투표확률

인하대학교
INHA UNIVERSITY

지원학부(과)

성   명

수 험 번 호

주민등록번호 앞6자리(예: 040512)

1번 답안

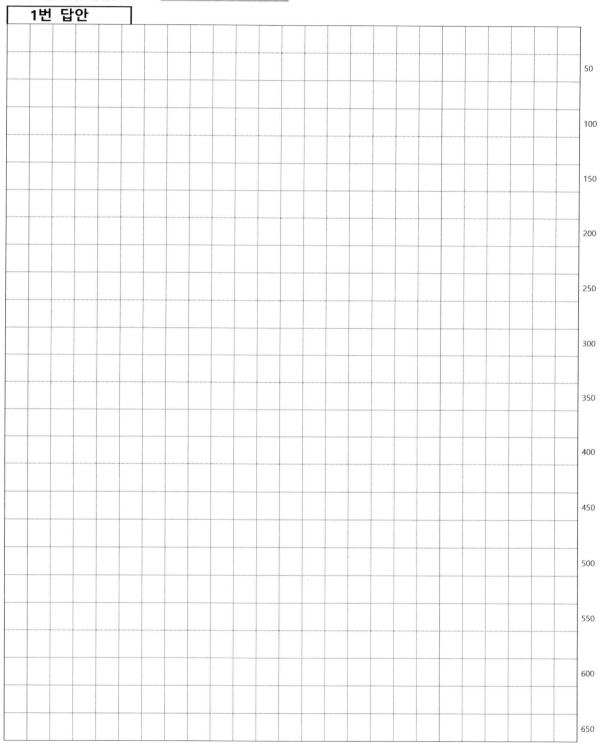

50

100

150

200

250

300

350

400

450

500

550

600

650

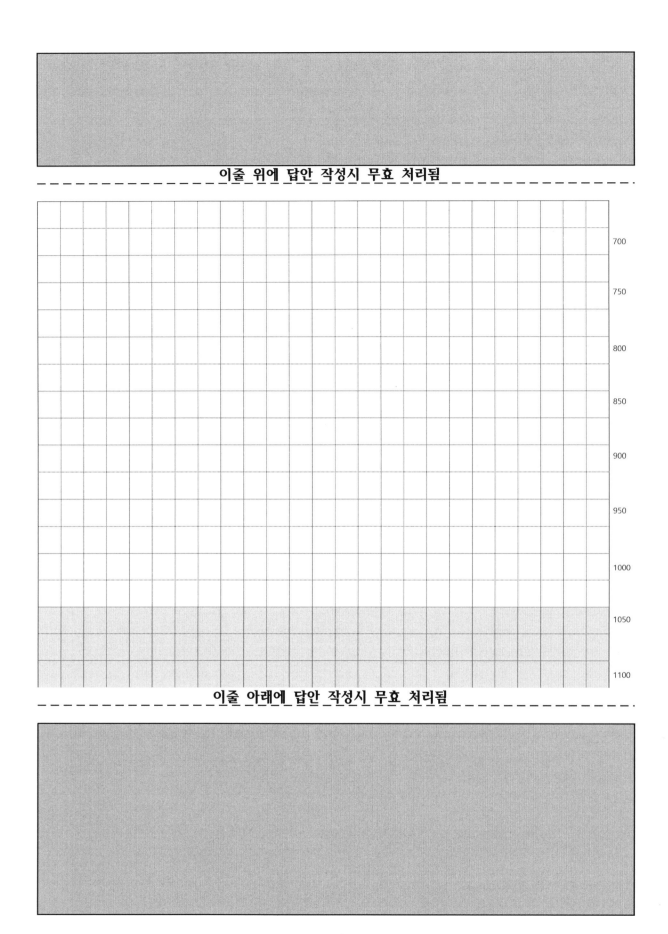

이줄 위에 답안 작성시 무효 처리됨

		700
		750
		800
		850
		900
		950
		1000
		1050
		1100

이줄 아래에 답안 작성시 무효 처리됨

2번 답안

																			50
																			100
																			150
																			200
																			250
																			300
																			350
																			400
																			450
																			500
																			550
																			600
																			650

9. 2020학년도 인하대 수시 논술

[논제] SNS(Social Network Service)의 확산이 사회적 쟁점에 대한 참여 확대 또는 합의 도출에 미치는 영향에 대한 토론 상황이다. 물음에 답하시오.

[문항 1] 아래의 <조건>을 고려하여 [문항 1]에서 택한 자신의 주장을 정당화하고, 이에 대해 예상되는 반론을 제시한 후, 이를 재반박하시오. (1,000자±100자, 60점)

─────────< 조 건 >─────────

1. 제시문 (나) ~ (라) 가운데 두 개를 활용하여 자신의 주장을 정당화할 것.

2. 반론의 논거 역시 제시문 (나) ~ (라) 중 두 개를 활용하여 제시할 것.

3. 재반박에서는 [문항 1]에서 선택한 국가의 특징을 고려하여 자신의 주장을 옹호할 것.

4. 제시문의 문장을 그대로 옮기지 말 것.

[문항 2] <다음> 중 하나의 주장을 택한 후, <조건>에 따라 논하시오. (500자±50자, 40점)

┌─────────────────────── < 다 음 > ───────────────────────┐
│   │
│ ┌─────────────────────┐   ┌─────────────────────┐ │
│ │   주장 1 : SNS의 확산은   │   │   주장 2 : SNS의 확산은   │ │
│ │ 참여 확대 또는 합의 도출에   │   │ 참여 확대 또는 합의 도출을   │ │
│ │   기여한다.   │   │   저해한다.   │ │
│ └─────────────────────┘   └─────────────────────┘ │
└───┘

┌─────────────────────── < 조 건 > ───────────────────────┐
│ 1. 제시문 (마)의 <자료 1>과 <자료 2>를 활용하여 자신이 택한 주장에 가장 잘   │
│ 부합하는 국가를 하나 선택하고, 그 국가를 선택한 이유를 같은 자료를 활용하여   │
│ 제시할 것.   │
│ 2. 제시문 (마)의 <자료 3>과 제시문 (가)를 활용하여 선택한 국가의 특징을 분석 │
│ 할 것.   │
│ 3. 제시문의 문장을 그대로 옮기지 말 것.   │
└───┘

(가) 정치 과정은 다양한 사람들이 참여하여 정책을 만들고 집행하면서 문제를 해결해 나가는 과정이다. 근대 이전에는 정치 과정이 소수 지배자들의 지시와 통제를 통한 통치 방식으로 한정되는 경향이 있었지만, 근대 이후에는 시민들의 자발적 참여가 점차 증가하면서 정치 과정에서 그 역할이 중요해졌다. 시민들은 서로에 대한 믿음과 정치적 합의가 잘 지켜질 수 있다는 신뢰가 강할수록, 그리고 공통의 관심사를 가진 사람들의 공식·비공식적 모임을 통해 지식 공유를 촉진하는 사회적 네트워크가 강할수록 정치 과정에 더 많이 참여한다. 사회적 네트워크는 개인이 맺고 있는 다양한 사회적 관계에 의해 형성되기 때문에 관계성과 연결성이 강조된다.
  퍼트남(R. Putnam)은 협력적 행동을 통해 정치 과정의 참여와 효율을 증진시키는 사회 구성원 간의 신뢰와 네트워크의 일체를 '사회적 자본(social capital)'이라고 하였다. 사회 구성원 간의 신뢰는 그 적용 범위에 따라 가족 및 친구 등 자신과 가까운 지인에 대한 '특정화된 신뢰'와 낯선 사람에 대한 '일반화된 신뢰'로 세분될 수 있다. 특정화된 신뢰는 가까운 지인들에 대한 신뢰이기 때문에 폐쇄적인 특성을 지닌 반면, 일반화된 신뢰는 낯선 이들에 대한 신뢰로서 개방적인 특성을 지닌다. 네트워크도 신뢰와 더불어 사회적 자본을 구성하는 중요한 요소다. 네트워크는 사회적 관계의 성격에 따라 '결속형 네트워크'와 '연결형 네트워크'로 구분될 수 있다. 결속형 네트워크는 연줄과 인맥 등으로 맺어진 관계로, 동질적 속성을 지닌 개인들 간의 결속력이 강해서 본질적으로 배타적이고 내부지향적이다. 반면, 구성원들 간의 결속력이 약할지라도 공공선을 지향하는 사회단체나 자선단체와 같은 연결형 네트워크는 다양한 의견 및 태도에 대해 포용적이고 외부지향적인 특성을 가진다. 그래서 결속형 네트워크는 사회적 갈등을 심화시킬 위험이 있는 반면, 연결형 네트워크는 참여와 연대의 토대를 제공할 수 있다.

고등학교 사회·문화, 생활과 윤리 활용

(나) 시사주간지 〈타임〉은 평범한 시민들이 유튜브와 같은 공유 사이트를 통해 아무런 대가 없이 정보를 제공하여 세상을 변화시켰다며 2006년 올해의 인물로 '당신'을 뜻하는 'YOU'를 선정했다. 유튜브와 같은 SNS의 발달에 따라 정치 참여에 필요한 정보를 쉽게 획득하고 사이버공동체와 같은 새로운 인적 네트워크를 형성하여, 사회적 쟁점에 대한 시민들의 참여가 활성화될 수 있다. 이는 오프라인과 구분되는, SNS가 가진 네트워크의 성격 때문에 가능한 일이다. SNS는 지리적 경계를 뛰어넘어 더욱 폭넓고 다양한 대상과 일상적인 소통을 가능하게 하며, 이를 통하여 수많은 정보와 의견이 교환될 수 있는 장을 마련해준다. 또한 SNS 상에서는 상호작용이 채팅과 같은 일대일 방식으로도, 콘텐츠 게시와 같은 일대다 방식으로도 이루어질 수 있다. 아울러 모든 사람이 함께 접속하는 동시적 상호작용과 함께, 시차를 두고 의견 교환이 이루어지는 비동시적 상호작용이 가능하기 때문에 한 주제에 대하여 장기간 의견을 나눌 수도 있다.

SNS를 통해 여러 사람과의 네트워크가 형성된다 하더라도, 결국 비슷한 생각이나 취향을 가진 사람들끼리의 결속력을 강화할 뿐이라는 주장도 있다. 패리저(E. Pariser)는 그의 저서 『생각 조정자들』에서 구글과 페이스북 등이 개인의 취향과 관심사는 물론 정치 성향까지 분석하여 맞춤형 정보를 제공함에 따라 개인의 생각이 제한되는 현상을 '필터 버블(filter bubble)'이라고 하였다. 이러한 필터 버블은 검색 엔진과 소셜 미디어와 같은 디지털 정보중개자의 알고리즘 특성과 관련된다. 구글의 검색 기능, 페이스북의 게시글과 친구 추천 기능, 유튜브의 추천 영상 제공 등은 이러한 알고리즘의 결과물이다.

고등학교 사회, 사회·문화 활용

(다) 영국의 주요 신문인 〈가디언〉의 역사는 1819년 8월 16일로 거슬러 올라간다. 당시 테일러(J. Taylor) 기자는 맨체스터의 성 피터 광장에 운집한 6만 명의 군중을 지켜보고 있었다. 이날 광장에 모인 사람들은 자신들의 이해를 대변하기 위하여 투표권이 필요하다고 주장했다. 그러자 군대가 출동하여 집회를 해산시켰는데, 이 과정에서 무자비한 폭력으로 사상자가 발생했다. 시위대 속에 있었던 테일러 기자는 런던 시민들에게 이 학살의 진상을 알리고자 서둘러 야간 운송 편으로 기사를 보냈고, 다음날 일간지를 통해 전국에 알려졌다. 이는 투표권 운동이 전국적으로 확산되는 계기가 되었다. 테일러는 이 경험으로 〈가디언〉의 전신인 〈맨체스터 가디언〉 신문을 창간하였고, 이후 1832년 영국에서 1차 선거법 개정이 이루어졌다.

한국에서 신문은 조선이 망해가는 격동의 시기에 등장하였다. 1883년 〈한성순보〉가 처음 창간되었지만 실제로는 관보에 가까운 한문신문으로 갑신정변 직후에 폐간되었다. 1896년에는 최초의 한글 일간지인 〈독립신문〉이 창간되었고, 이후 〈대한매일신보〉, 〈황성신문〉과 같은 민간 신문이 창간되었다. 이들 애국계몽을 표방한 민간지들은 제국주의 열강의 조선 침략 현실을 폭로하는 데 앞장섰다. 1905년 을사늑약이 체결되었을 때 장지연은 '이날에 목 놓아 통곡하노라'라는 제목의 논설을 〈황성신문〉에 게재하였고, 이로인해 〈황성신문〉은 발행이 중단되었으며 장지연은

투옥되었다. 신채호도 〈황성신문〉의 논설 기자로 활동하며 대구에서 일어난 국채보상운동을 제일 먼저 소개하였고, 사람들에게 널리 참여할 것을 독려하였다. 〈대한매일신보〉는 1910년까지 항일언론의 선봉에 섰던 신문으로 신채호는 여기서도 주필을 맡았다. 이 두 신문을 중심으로 국채보상운동은 전국으로 확산되었고, 그 후 항일 독립운동의 기폭제가 되었다.

고등학교 세계사, 한국사 활용

(라) 텔레비전이 보급된 이후 오랫동안 미국인은 세 곳의 거대 방송국과 세 곳의 주요 신문을 통해 뉴스를 얻었다. 그 언론 매체 중 어느 곳도 보수적이거나 진보적인 색채를 뚜렷이 드러내지 않았고 정보를 편향되게 전달하지도 않았다. 대부분의 미국인이 거의 동일한 출처에서 정보를 얻었던 셈이다. 하지만 한 때 큰 시장을 형성했던 매체들이 최근 들어 쇠락한 반면, 뉴스를 전문으로 다루는 웹사이트와 케이블 텔레비전 등은 부상했다. 이에 따라 미국인들은 자신이 지닌 견해에 따라 정보의 출처를 선택할 수 있게 되었다. 가령 케이블 텔레비전에는 477개의 채널이 있음에도 자신의 현재 관심사와 생각에 따라 채널을 선택하며, 달갑지 않은 주제에 대해서는 아예 담을 쌓는다. 그 결과 자신의 정치적 성향이 더욱 강화된다.

이것은 유권자뿐 아니라 정치가들의 경우에도 마찬가지다. 요즘 대부분의 의원은 페이스북이나 트위터 같은 소셜 미디어를 이용하는데, 민주당원이건 공화당원이건 상관없이 모두 자신의 견해에 부합하는 뉴스를 게시하고 다른 견해를 올리는 사람을 친구 명단에서 지워 버린다. 또한 시시때때로 페이스북을 점검하여 자신의 견해에 동조하는 온라인 뉴스를 확인하고, 그 뉴스 전달자를 친구로 추가한다. 결국 자신과 견해를 공유하는 친구들만 늘어나고, 자신에게는 여과된 정보만 전달된다. 그 결과 정치가들도 다른 사람들이 상대 정당을 지지하는 이유를 알지 못하고, 유권자들도 내가 선택한 의원이 나와 다른 의견을 가진 의원들과는 타협하지 않기를 바라게 된다.

고등학교 사회, 법과 정치 활용

(마) 다음의 자료는 '복지 예산 감축 또는 확대' 쟁점에 대하여 A, B, C, D 네 국가에서 실시한 설문조사 결과다. 설문조사는 SNS가 확산되기 이전과 이후, 두 차례에 걸쳐 실시되었다. 〈자료 1〉은 각각의 시점에서 해당 쟁점에 대한 사회적 참여도를 측정하기 위하여, 다음의 네 가지 활동(기사 검색, 주변 사람과의 대화, 청원 서명, 집회 참여) 중 몇 가지 활동을 한 적이 있는지 조사한 결과다. 〈자료 2〉는 이 쟁점에 대한 입장을 '0(매우 감축)부터 10(매우 확대)'까지의 11점 척도로 응답한 결과다.

〈자료 1〉 국가별 사회적 참여도에 대한 응답 결과

(단위: 개)

국가	SNS 확산 이전	SNS 확산 이후
A국	2.5	2.5
B국	2.4	2.4
C국	0.8	2.2
D국	0.6	2.1

* 표 안의 값은 응답자들의 평균값임.

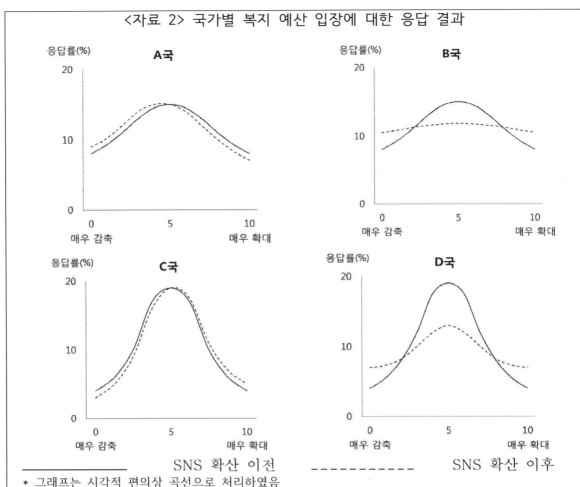

<자료 2> 국가별 복지 예산 입장에 대한 응답 결과

——————————— SNS 확산 이전   ---------- SNS 확산 이후

* 그래프는 시각적 편의상 곡선으로 처리하였음

<자료 3>은 SNS가 확산되기 직전 시점에 측정한 네 국가의 사회적 자본 수준을 나타낸 설문조사 결과다. 설문문항은 다음과 같다. (1) "동문회와 같은 동질적 모임에 몇 개 가입해 있습니까?", (2) "환경단체와 같은 공익적 모임에 몇 개 가입해 있습니까?", (3) "가족과 친지·친구 등 나와 가까운 지인들은 신뢰할 만하다고 생각하십니까?" (1: 그렇다, 0: 아니다), (4) "낯선 사람을 포함한 우리 사회 대부분의 사람은 신뢰할 만하다고 생각하십니까?" (1: 그렇다, 0: 아니다)

<자료 3> 국가별 사회적 자본에 대한 응답 결과

국가	(1) 동질적 모임 가입	(2) 공익적 모임 가입	(3) 지인에 대한 신뢰	(4) 낯선 이에 대한 신뢰
A국	3.3개	3.4개	0.87	0.85
B국	3.5개	0.7개	0.83	0.32
C국	1.6개	3.2개	0.45	0.81
D국	1.2개	0.7개	0.31	0.28

* 표 안의 값은 응답자들의 평균값임.

※ <자료 1>~<자료 3>에서 제시되지 않은 다른 모든 사항은, 네 국가가 모든 시점에서 동일하다고 가정한다.

고등학교 사회, 법과 정치 활용

주의! 논술 전형 글자수 변화로 문항 2번이 500자에서 현재 600자로 변경되었음

인하대학교
INHA UNIVERSITY

지원학부(과)	수험번호	주민등록번호 앞6자리(예:040512)

성 명

1번 답안

50
100
150
200
250
300
350
400
450
500
550
600
650

119

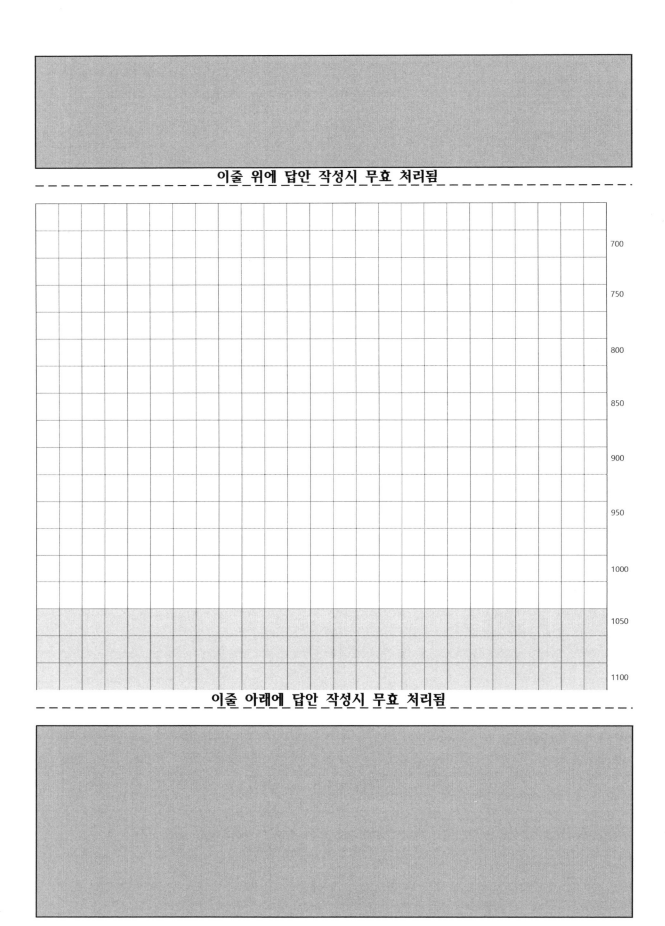

700

750

800

850

900

950

1000

1050

1100

2번 답안

50

100

150

200

250

300

350

400

450

500

550

600

650

10. 2020학년도 인하대 모의 논술

※ 다음 제시문을 읽고 물음에 답하시오.

(가) 다문화주의(multi-culturalism)는 한 국가 내에서 다양한 언어나 문화를 인정하고 적극 수용하려는 이론이나 정책을 말한다. 여기서 문화의 단위는 인종, 민족, 언어, 종교, 생활양식, 정체성 등으로 다양하다. 캐나다나 미국처럼 주로 이민자들로 구성된 나라에서 처음 시작된 다문화주의는 문화의 우열을 가리지 않고 다양한 문화를 수용하고 존중함으로써 문화 간의 갈등이나 충돌을 완화하고자 채택되었다. 1980년대부터는 세계화로 인해 전 지구적으로 이민자들이 증가하게 되자 다문화주의에 기반을 둔 문화 포용정책이 여러 국가로 확산되었다.

다양성에 대한 관용과 존중이 가장 큰 시너지 효과를 낸 곳은 실리콘 밸리(Silicon Valley)다. 실리콘밸리의 고급 인력들 상당수는 이민자들이다. 애플의 창업자인 스티브 잡스(Steve Jobs)는 시리아에서 온 이민자의 아들이고, 구글의 공동창업자인 세르게이 브린(Sergey Brin)은 구소련에서 부모와 함께 미국으로 온 이민자이다. 또한 야후의 공동 설립자 제리 양(Jerry Yang)은 대만 출신의 이민자이며, 오라클(Oracle)의 공동설립자 밥 마이너(Bob Miner)도 이란 출신의 이민자다. 다른 나라, 다른 문화권에서의 다양한 경험이 공존하는 환경은 개인의 인지적 유연성을 기르고, 이질적인 것들을 서로 연결시킬 수 있는 사고력을 키운다. 그래서 새로운 혁신을 이끄는 창의적인 아이디어는 이질적인 경험과 다양한 생각이 뒤섞인 환경에서 나오기 쉽다.

(나) 생물종은 각각 자연의 특정한 영역에 깃들여 산다. 수생생물 중에도 짠물에서 살아가는 것들이 있는가 하면 민물에서 사는 것들이 있고, 빛이 거의 닿지 않는 심해에서 살아가는 생명체도 있다. 생명체의 신체 구조와 기능은 그것의 환경에 적합하게 되어 있고, 그렇게 환경과 생명체는 훌륭한 조화를 이루고 있다. 각 종의 생명체가 지닌 본성은 이처럼 그것들이 살아가는 환경 속에서 형성되었다. 이렇게 결정된 그것의 본성과 동떨어진 조건에서는 어떤 생명체도 번성하기 어렵고 생존마저 위협받는다. 환경과 그 안에서 살아가는 존재의 이러한 상관관계는 개별 생명체에뿐만 아니라 다수의 개체들로 구성된 다양한 규모의 집단에도 똑같이 성립한다.

인간이라는 특별한 존재도 예외가 아니다. 개인의 삶을 영위하는 일이든 공동체를 경영하는 일이든 주어진 환경에 부합하는 방식으로 이루어질 때 성공과 번영을 이룰 수 있는 반면, 환경의 여건에 부합하지 않는 운영은 지속가능성을 위협하는 낭비를 초래한다. 개인이든 집단이든 그것의 번영을 결정하는 관건은 그것이 처한 환경에 가장 적합한 방식으로 스스로의 행동 방식을 조율하는 것이다. 그러기 위해서는 개인이나 집단이 처한 공간적, 시간적, 물질적 조건, 나아가 문화적 조건을 포함하는 환경의 속성을 정확히 파악하는 일이 필수적이다. 그런 노력 없이 이런 방식, 저런 방식의 행동을 시도하다가는 앞서 언급한 낭비 끝에 도태의 길을 걷게 된다. 스스로 주어진 환경에서 가장 잘 생존하고 번영할 수 있는 행동이 무엇인지를 파악하여 그것에 총력을 기울이는 것이 지속가능성을 극대화하는 길이다. 이는 그 집단이 혈연집단이든, 이익집단이든, 혹은 국가 같은 대규모의 공동체든 똑같이 성립하는 불변의 진리다.

(다) '챔피언(champion)'은 운동 종목에서 선수권을 보유하고 있는 사람이나 기술 면에서 실력이 가장 뛰어난 사람이나 단체를 가리킨다. 그런데 이 단어에 붙는 수식어에 따라 그 느낌이 확연히 달라질 수 있는데 '히든 챔피언(hidden champion)'이 그 예이다. 우리말로 하면 '감춰진 챔피언' 또는 '숨은 챔피언' 정도의 뜻이 된다. 독일의 경영학자 헤르만 지몬(Hermann Simon)이 자신의 저서 <히든 챔피언>(1996)에서 소개해 널리 알려지게 되었다. 대중에게 잘 알려져 있지 않지만 점유율이나 매출액 면에서 결코 무시할 수 없는 기업을 지칭하는 것으로, 이들은 비록 규모는 작아도 틈새시장을 파고들어 세계 최강자 자리에 오른 회사들이다.
 식기세척기를 생산하는 빈터할터 가스트로놈(Winterhalter Gastronom)은 병원, 학교, 일반 기업 같은 대규모시장에서 과감히 철수하고 오직 호텔과 레스토랑에만 집중하여 해당시장에서 세계1위의 기업이 되었다. 플렉시(Flexi)는 반려동물용 가죽 목줄 한 가지 품목만을 생산하여 이 부문에서 세계시장의 70%를 점유하고 있다. 250년 넘게 연필을 생산해온 파버카스텔(Faber Castell)은 한눈을 팔지 않는 '한우물 경영'으로 두 세기 반 동안 본사를 이전하지 않았고 금융위기에도 숙련공들을 잃지 않기 위해 구조조정을 하지 않았다. 이처럼 히든 챔피언은 세계시장에서 자신들만이 가장 잘할 수 있는 세분화된 영역을 선택하고 집중하는 전략을 취한다. 내부적으로 연구개발(R&D)과 같이 자사의 핵심역량을 강화하는 일에는 투자를 아끼지 않지만, 경쟁력 확보와 무관하다고 여겨지는 업무는 과감히 아웃소싱한다. 고객관리에서도 매출에서 큰 비중을 차지하는 VIP 고객들을 집중적으로 관리해 밀접한 관계를 구축한다. "우리는 한 가지에만 집중하지만, 이 한 가지는 어느 누구보다도 더 잘한다."가 히든 챔피언의 모토다.

(라) 기존의 과학이론으로 설명할 수 없는 현상을 '변칙현상'이라고 한다. 이런 변칙현상이 누적되면 기존의 이론이 위기에 처하게 된다는 점에서 변칙현상은 부정적인 인상을 주기 쉽지만, 사실 변칙현상은 과학의 진보를 가능하게 하는 중요한 원천이다. 현 상황의 문제점을 알려주는 변칙현상 없이는 혁신도 일어나기 어렵다. 그런데 과학의 역사는 이런 변칙현상을 기존 이론의 관점에서는 확인할 수 없었던 숱한 예를 보여준다. 원소들의 분광 스펙트럼에는 원소마다 고유한 규칙성을 지닌 색 띠들이 나타난다. 이런 현상을 설명하려면 20세기에 들어서서야 확립된 양자역학이 필요하고, 이 현상이 알려진 1880년대의 고전물리학으로는 이 현상을 설명할 수 없다. 그러나 흥미롭게도, 당시의 과학자들은 이것이 고전물리학으로 설명할 수 없는 변칙현상이라는 사실을 알아차리지 못했다. 분광 스펙트럼의 이러한 특성은 1910년대를 거치며 등장한 양자역학으로 설명되었고, 그 때에서야 사람들은 그것이 고전물리학에 혁신을 요구하는 변칙현상이었음을 알아볼 수 있었다.

이런 사례는 기존 이론의 관점에서 자신의 약점을 스스로 발견하는 일이 어렵다는 사실을 보여준다. 달리 말하자면, 기존의 관점과 다른 이질적인 관점에 설 때 비로소 현재의 문제점을 인식하고 발전할 수 있는 가능성이 강화된다는 것이다. 그렇다면 최선의 이론처럼 보인다고 해서 하나의 이론에 모든 역량을 쏟는 것은 위험한 일이다. 오히려, 아직 미성숙한 이론들일지라도 서로를 자극하면서 서로의 성장을 촉진할 여러 이론들이 공존하면서 상호작용하도록 하는 것이 현명한 일이다. 그것이 전체의 진보를 촉진하는 길이다. 이것은 비단 과학자들에게만 유효한 결론이 아니다. 어떤 공동체든 그 안에 다양한 견해와 방법론, 다양한 방향의 활동성을 적극적으로 용인할수록 전진의 동력이 왕성해지는 반면, 획일성은 상호 자극을 통한 전진의 기회를 스스로 박탈하면서 전체의 빈곤을 초래하기 쉽다.

(마) 다음의 자료는 수출에 주력하는 A, B, C, D 네 기업에 대한 정보이다. 〈자료 1〉은 세계경제위기가 발생하기 직전 3년 간 각 기업이 추구한 제품 및 수출국 다양화 전략을 나타낸다. 이 자료에서 주요 수출대상국이란 각 국가의 수출대상국 중 수출액 상위 5개 국가를 의미하며, 주력상품이란 수출상품 중 수출액 기준 상위 5개 제품을 의미한다. 〈자료 2〉는 세계경제위기 전후 각 3년간 A, B, C, D 네 기업의 연평균 매출액 증가율이다. 이 두 자료에서 제시되지 않은 다른 모든 사항은 네 기업이 모두 동일하다. 또한 소수점 이하 둘째 자리 이하 수치는 무시한다.

〈자료 1〉 세계경제위기 직전 3년 간 제품 및 수출국 다양화 지표

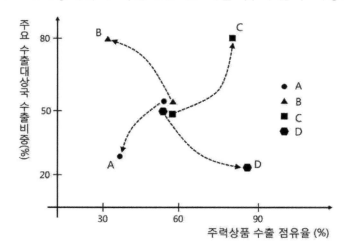

〈자료 2〉 A, B, C, D 네 기업의 연평균 매출액 증가율 (단위 %)

기업명	세계경제위기 직전 3년	세계경제위기 직후 3년
A	2.9	2.3
B	3.4	-0.8
C	2.8	2.4
D	1.2	-0.9

[논제] [A~D와 유사한 규모의] 어떤 기업이 (마)에 언급된 것과 같은 경제위기에 대비하면서 수출상품과 수출국 선정에 대한 장기 전략을 수립하려고 한다. 이 기업이 A~D 중 어느 기업을 모델로 삼는 것이 좋은지에 대하여 다음과 같이 논술하시오.

[문항 1] A ~ D 중 전략 수립의 모델로 가장 적절한 기업을 선택하고, 다음 조건에 따라 논하시오. (1,000자±100자, 60점)

─────────────────< 조 건 >─────────────────
1. 선택한 모델의 특징과 선택의 이유를 제시문 (마)를 활용하여 제시할 것
2. 제시문 (가)~(라) 가운데 두 개의 제시문을 활용하여 선택의 합리성을 정당화할 것
3. 제시문의 문장을 그대로 옮기지 말 것

[문항 2] 자신의 선택에 대하여 예상되는 반론을 제시하고, 이를 재반박하시오. (500자 ±50자, 40점)

─────────────────< 조 건 >─────────────────
1. 반론의 논거는 제시문 (가)~(라)를 활용하여 제시할 것
2. 재반박에서는 제시문 이외의 논거를 들어 자신의 선택을 옹호할 것
3. 제시문의 문장을 그대로 옮기지 말 것

주의! 논술 전형 글자수 변화로 문항 2번이 500자에서 현재 600자로 변경되었음

지원학부(과)		수 험 번 호					주민등록번호 앞6자리(예 040512)						

성   명

1번 답안

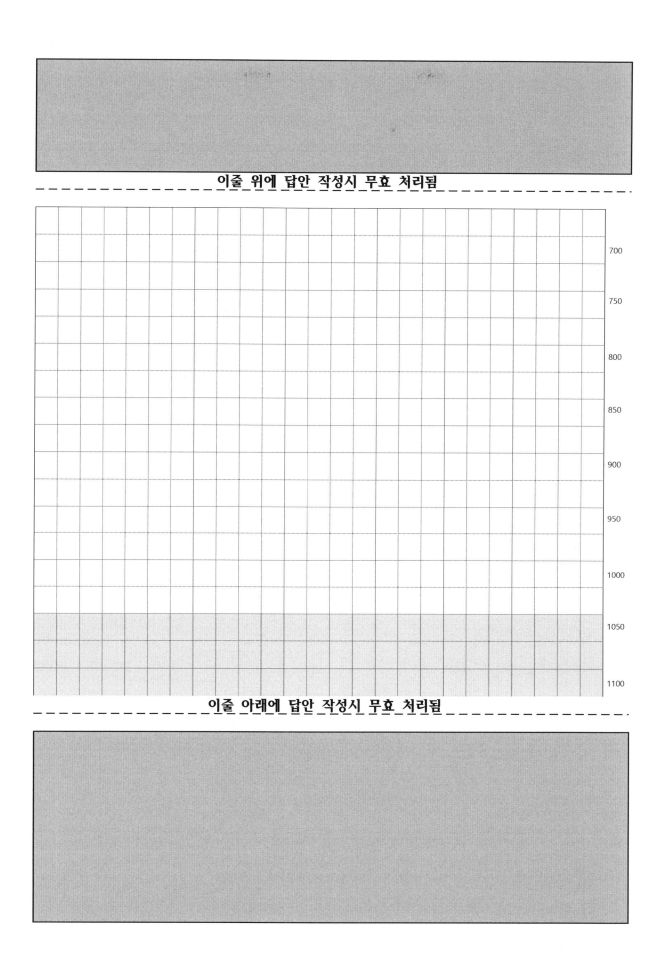

이줄 위에 답안 작성시 무효 처리됨

700

750

800

850

900

950

1000

1050

1100

이줄 아래에 답안 작성시 무효 처리됨

127

이줄 위에 답안 작성시 무효 처리됨

2번 답안

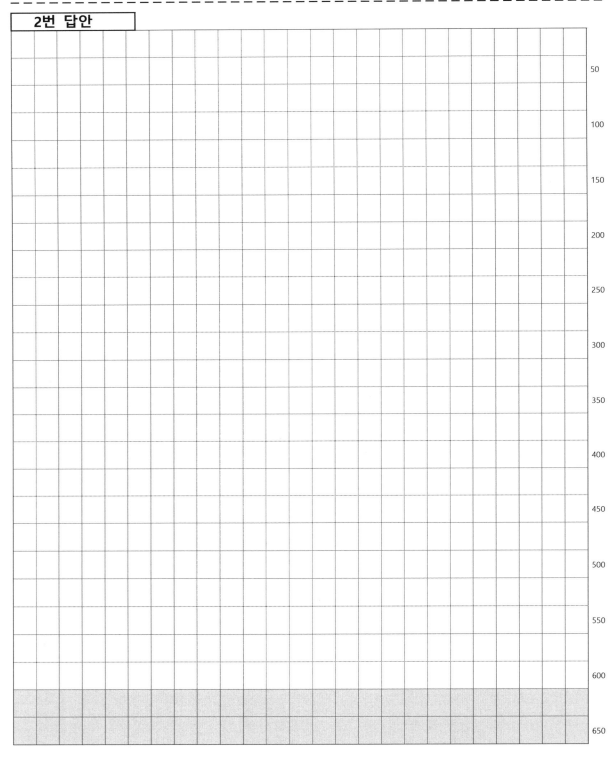

50
100
150
200
250
300
350
400
450
500
550
600
650

VI. 예시 답안

1. 2024학년도 인하대 수시 논술

[문항 1] 제시문 (가)에서 설명한 두 가지 책임론 중 하나의 관점을 선택하여, 밑줄 친 (A)에 대한 자신의 입장을 제시문 (나)~(마)를 모두 활용하여 정당화하시오.(정당화에는 자신의 주장, 주장에 대해 예상되는 반론, 그리고 이에 대한 재반론을 포함할 것) (1,000자±100자, 60점)

● '자유의지가 책임의 근거임'을 선택 (주장 1)

규범적 책임론의 입장을 선택하여, 인간의 자유의지가 행위에 대해 책임을 물을 수 있는 근거라고 주장하고자 한다. 규범적 책임론은 인간에게 자신의 행동을 자유롭게 결정할 수 있는 자유의지가 있다는 점을 전제로 한 입장이기 때문이다. 이를 정당화할 수 있는 논거는 다음과 같다.

첫째, 제시문 (나)에 따르면, 인간은 본능적 충동적인 1차적 욕구를 조절하는 2차적 욕구를 가지고 있다. 인간이 동물과 다른 이유는 1차적 욕구만이 아니라 그것을 반성할 수 있는 능력, 즉 자유의지에 기반한 2차적 욕구를 지니고 있다는 점이다. 인간은 이러한 2차적 욕구를 지님으로써 비로소 인격체가 될 수 있다. 또한, 인간의 행위를 비난할 수 있는 근거도 2차적 욕구를 가지고 있음에도 불구하고 규범을 어겼기 때문이다. 둘째, 제시문 (라)에서 의사결정 능력이 약화된 '심신미약'은 형을 감경하고, 완전히 결여된 '심신상실'은 형을 면제한 여러 판례에서 보듯이, 사회질서를 유지하는 현재의 법·규범은 모두 자유 의지를 책임의 근거로 삼아 수립된 제도이다. 현실의 법체계에서 책임의 근거가 되는 자유의지를 부정한다면 인간 사회는 커다란 혼란에 휩싸이게 될 것이다.

그러나 이러한 주장에 대해 제시문 (마)처럼, 인간의 심리와 행동은 두뇌나 유전자 등과 같이 타고난 생물학적 물질에 프로그램된 것의 결과라고 보는 진화론이나, 인간을 자유의지가 아닌 생화학적 알고리즘의 산물로 이해하는 유전공학·생명공학 등을 내세우며 자유의지의 존재 자체를 부정할 수 있다. 나아가 (다)에서처럼, 자유와 책임은 인간 상호간의 관계 속에서만 의미를 가지는 개념이며, 자유의지의 존재 여부에 관계없이 사회질서 유지를 위해서는 책임이 부과되어야 한다고 주장할 수도 있다.

하지만, 인간을 자유의지가 없는 생화학적 집합체로 보는 과학계 일부의 주장은 다툼의 여지가 있으며 그 근거가 충분하지 않다. 또한 사회질서 유지가 책임의 근거가 된다면, 책임 능력을 고려하지 않은 임의적 처벌이 난무하고 약자를 보호하지 못할 가능성이 커진다. 따라서 인간 행위에 대한 책임은 자유의지에 근거해야만 한다.

[1,038자]

● '자유의지가 책임의 근거가 아님을 선택' (주장 2)

사회적·기능론적 책임론을 선택하여 인간의 자유의지가 책임의 근거는 아니라고 주장한다. 사회적·기능론적 책임론은 책임이 사회질서 유지라는 기능적 관점에서 매우 중요하다고 보기 때문에 책임의 근거를 자유의지가 아닌 사회적 규범에서 찾는다. 따라서 행위자가 사회적 규범을 위반할 경우 사회질서 유지를 위한 예방적 목적에서도 행위자를 비난하거나 처벌하는 등의 책임을 부과할 수 있다.

 사회적·기능론적 책임론이 자유의지를 책임의 근거로 보지 않는 이유는 두 가지다. 먼저, 인간에게 자유의지가 있다는 과학적 증거가 없기 때문이다. 일찍이 진화론은 인간의 본성 뿐 아니라 인간의 심리와 행동마저도 생물학적인 물질로 프로그램된다고 보았다. 나아가 최근에 발전한 생명공학, 유전공학, 뇌과학은 인간을 자유롭고 자율적인 존재로서가 아니라 생화학적 집합체로 정의한다. 이들의 발견에 따르면, 인간의 행동도 물리화학적 인과율을 따르는 신경작용의 결과이기에 인간에게 자유의지가 있다는 과학적 증거는 없다. 둘째로 책임이란 개인의 행위가 인간 상호간의 사회적 관계에 끼치는 결과에 따라 결정되어야 하기 때문이다. 책임의 중요한 기능은 사회질서 유지에 있기에 개개인의 행위도 그 행위의 사회적 영향에 따라 책임이 부과되어야 한다. 따라서 책임의 근거는 사회적 규약이라고 할 수 있다.

 그러나 인간에게는 1차적인 본능적 욕구를 조절할 수 있는 2차적 욕구가 있으며, 이런 2차적 욕구를 통해 인격이 형성되고 중요한 판단이 내려질 수 있으므로 인간에게는 자유의지가 있다는 반론도 있다. 또한 심신장애자 처벌 판례에서 알 수 있듯이, 사회질서를 유지하는 법과 규범도 자유의지에 기반하여 수립되어 있다고 주장할 수 있다. 하지만 동물들의 이타적인 행동에서 알 수 있듯이 본능적인 1차 욕구를 조절하는 능력을 인간에게서만 찾을 수 있는 것은 아니다. 또한 자유의지를 근거로 사회적 책임을 물을 경우 일시적 심신장애와 같은 이유로 위법 행위에 대한 처벌 면제를 남용할 수도 있어 오히려 사회질서가 유지되기 어려울 수도 있다. 따라서 자유의지는 책임의 근거가 될 수 없다.

[1,030자]

[문항 2] 여러분은 A국과 B국 모델 중 하나를 선택하여 향후 C국의 국가정책을 수립하려 한다. (자료 1), (자료 2), (자료 3)을 모두 이용하여 하나의 모델을 선택하고, 그러한 선택의 이유와 선택한 모델의 정책을 추진할 때 나타날 수 있는 문제점을 각각 서술하시오(자료에 제시된 조건 외에는 고려하지 않기로 한다). 그리고 서술한 문제점 중 하나를 골라 자신이 생각하는 해결방안을 자유롭게 제시하시오. (600자±60자, 40점)

● A국 모델 선택

 A국 모델을 선택해야 한다. 먼저 (자료 1)을 보면 A국은 IT산업 비중이 빠르게 증가하고 B국은 제조업 비중이 빠르게 증가하며, A국이 B국에 비해 온실가스 배출량이 천천히 증가한다. 또한, A국의 소득격차는 B국에 비해 더 커진다. (자료 2)에서 A국은 소득수준과 소득격차가 모두 높은 국가로, B국은 소득수준이 높지만 소득격차가 낮은 국가로 분류된다. 각국의 삶의 만족도가 높을 확률은 각각 7/15과 13/15으로 B국의 삶의 만족도가 높을 가능성이 더 크다. (자료 3)을 보면 출산장려책+적극적 이민정책을 취한 A국은 출산장려책+소극적 이민정책을 취한 B국에 비해 향후 노년부양비가 낮아지고 사회역동성지수와 사회갈등지수 모두 커질 가능성이 높다. 이들 자료들을 종합해보면 A국 모델이 IT산업 중심의 친환경적 경제발전을 통해 미래경쟁력을 제고하고 사회역동성을 강화하면서, 고령화 문제를 해결하는데 유리하다. 다만, A국 모델은 B국에 비해 소득격차가 더 크고 삶의 만족도가 높을 가능성이 더 낮으며 사회갈등이 커질 수 있는 문제점이 있다. 이들 중

중요한 문제점인 소득격차를 줄이기 위해서는 고소득층에 대한 세금부과를 통해 소득분배 정책을 실시할 필요가 있다.

[600자]

● B국 모델 선택

B국 모델이 바람직하다. 우선 <자료 1-1>에 의하면 A, B 두 국가의 명목 1인당 GDP는 비슷하게 높은 수준이지만, <자료 1-2>에 따르면 B국의 소득격차가 A국보다 작다. 또한 <자료 2-1>에 의하면, 1인당 GDP가 높고 소득격차가 작은 국가가 높은 삶의 만족도를 가질 확률은 13/15이지만, 1인당 GDP가 높고 소득격차가 큰 국가가 높은 삶의 만족도를 가질 확률은 7/15이므로, A국보다 B국이 높은 삶의 만족도를 가질 가능성이 크다. 마지막으로, <자료 3-2>에 의하면, 출산장려책+소극적 이민정책을 취한 경우가 다른 정책을 취한 경우보다 사회갈등지수가 낮으므로, B국이 A국보다 사회갈등이 적을 것이다. 다만, <자료 1-1>을 보면 제조업 중심인 B국은 IT 중심인 A국에 비해 온실가스 배출량이 더 빠르게 증가한다. 또한 <자료 3-1>과 <자료 3-2>에서 보면, B국과 같이 출산장려책+소극적 이민정책을 취할 경우에는 A국 모델에 비해 노년부양비가 높고 사회역동성지수가 낮을 가능성이 있다는 문제점이 있다. 이와 같은 B국 모델 정책 추진 시 발생하는 온실가스 배출량의 빠른 증가 문제를 해결하기 위해, 탄소세 등의 친환경 정책을 추진할 필요가 있다.

[607자]

2. 2024학년도 인하대 모의 논술

[문항 1] (가)에 제시된 예술에 대한 두 가지 관점을 설명한 뒤, 그 중 하나의 관점을 선택하여 밑줄 친 (A)에 대한 자신의 입장을 (나)-(마)를 바탕으로 서술하시오. (1000자 ± 100자, 60점)

[문항 1]의 찬성 예시 답안

어떤 저작물의 예술작품 판단여부는 예술에 대한 정의를 통해 살펴볼 수 있다. 제시문 (가)에 따르면 예술 작품으로 인정되기 위해서는 그것이 예술가의 독창적인 창조활동의 산물이어야 한다. 예술품은 예술가가 자신의 생각과 감정을 미적형식으로 표현한 것으로 창작자의 자율성과 독창성이 예술 여부를 결정하는 중요한 요소가 된다는 것이다. 반대로 예술작품 판단에서 중요한 것은 예술가의 의도가 아니라 수용자의 입장이라는 주장도 있다. 아무리 예술가가 자신의 심오한 의도와 창의적 관점을 부여했다 하더라도 이것을 감상하는 감상자들이 예술작품으로 받아들이지 않는다면 훌륭한 예술작품이라고 볼 수 없다는 것이다.

이 두 가지 관점 중 후자의 입장에서 인공지능이 생성한 저작물을 예술작품으로 볼 수 있다고 생각한다. 첫째, 인공지능이 그린 '에드먼드 벨라미의 초상화'가 크리스티 경매장에서 예술작품으로 팔렸으며, 미드저니 프로그램에 의해 제작된 '스페이스 오페라 극장'이 미술대회에서 수상작으로 선정되었다. 인공지능이 만든 작품의 예술적 가치가 대중과 전문가들에게 받아들여진 것이다. 둘째, 발명된 초창기에 예술로 간주되지 않았던 사진은 인상파의 형성에 영향을 끼쳤을 뿐만 아니라, 프랑스 최고재판소 및 각국의 법정에서 예술로 인정되었으며, 대중들에게도 예술로 승인되었다. 두 사례에서 알 수 있듯이 과학기술에 의해 제작된 예술품도 이미 일반 대중과 예술계에서 그 예술적 가치가 인정되고 있다.

그러나 여기에 대해 예술작품은 예술가 개인의 창작이라는 특수한 노동 과정과 그 산물에 대한 창작자의 승인에 의해 결정되며, 이 때문에 저작권으로 보호된다는 반론이 있다. 나아가 예술가 자신의 고통을 미학적으로 승화시킨 노력이 담겨 있어야 하며 이런 작품들이야말로 타인의 고통에 대한 공감과 연대를 자아내고 인간을 인간답게 만들어준다는 주장도 있다. 하지만 인공지능에 의한 창작과정에도 인간 작가의 정신노동이 포함되며, 사회적 합의를 통해 저작권을 보장받을 수 있다. 또한 인공지능이 사용한 데이터 원천에는 이미 예술가의 고통을 미학적으로 승화시킨 노력이 포함될 수 있으며, 감상자들은 인공지능이 만든 작품이라도 충분히 예술가의 고통을 느끼고 공감할 수 있다. (1,085자)

[문항 1]의 반대 예시 답안
어떤 저작물의 예술작품 판단여부는 예술에 대한 정의를 통해 살펴볼 수 있다. 제시문 (가)에 따르면, 예술 작품으로 인정되기 위해서는 그것이 예술가의 독창적인 창조활동의 산물이어야 한다. 예술품은 예술가가 자신의 생각과 감정을 미적형식으로 표현한 것으로 창작자의 자율성과 독창성이 예술 여부를 결정하는 중요이다. 그러나 예술작품 판단에서 중요한 것은 예술가의 의도가 아니라 독자와 관객, 감상자나 평론가의 입장이라는 주장도 있다. 이런 시각에서는 어떤 저작물의 예술작품 여부는 예술가 자신이 아니라 일반 독자와 예술계 전체의 집단적인 판단으로 결정된다.

이 두 가지 관점 가운데 전자의 입장에서 인공지능이 생성한 저작물을 예술작품으로 볼 수 없다고 생각한다. 첫째, 인공지능이 만든 저작물은 인간의 정신적, 물질적 활동이 아니기 때문이다. 예술작품은 우연히 얻은 미적가치이거나 자연적으로 존재하는 기발함이 아니라 인간의 의식적이고 자각적인 작업을 통해 완성된 창조적 노동의 산물이다. 둘째, 인공지능이 만든 저작물에는 예술가의 삶이나 체험이 반영될 수 없기 때문이다. 훌륭한 예술작품에는 예술가 자신의 심미적 체험뿐 아니라 상실, 분노, 고독과 같은 자신의 고통을 미학적으로 승화시킨 노력이 담겨 있으며, 그와 같은 예술작품을 통해 독자들도 다른 사람의 고통에 공감하는 숭고한 체험을 하게 된다. 인공지능 저작물은 고통의 승화보다는 수많은 데이터와 명령문에 의해 만들어지기에 이런 과정이 생략된다.

그러나 예술가 자신보다는 평단이나 시장의 반응이 더 중요하고, 사진처럼 과학기술 발전으로 새로운 기술이 등장하여 예술에 대한 개념이 변화 가능하기에, 인공지능이 그린 작품도 예술작품으로 볼 수 있다는 주장도 있다. 하지만 미학적으로 뛰어난 아름다움을 보여준다고 해서 독자가 새로운 체험을 하게 되는 것은 아니다. 우리가 고흐의 그림에 전율을 느끼는 것은 일상적인 사물에 대한 새로운 관점과 창의적인 해석을 통해 고흐의 각성과 인식을 경험하게 되기 때문이다. 인공지능의 그림을 보며 그런 체험을 하기는 어렵다. 따라서 인공지능 저작물은 미학적으로는 훌륭할지라도 실제 삶의 진실한 재현이 아니기에 예술작품으로 보기 어렵다. (1,064자)

[문항 2] [자료 1] ~ [자료 3]을 활용하여 <다 음>의 밑줄 친 주장 (B)를 반박하고, 자료들을 바탕으로 기술 혁신이 초래할 사회문제를 개선하기 위한 방안을 제시하시오. 자료에 제시된 것 이외의 모든 사항은 변하지 않는다고 가정한다. (600자 ± 60자, 40점)

> AI 기술 도입은 직업군별·학력별 임금 수준 차이를 심화시키고 고용 불균형 현상을 초래할 수 있다. [자료 1]과 [자료 2]에서 고학력 보유자 비중이 높고 1인당 평균 임금이 높은 A, C 직업군은 AI 도입 후 실질임금이 증가하지만, 저학력 보유자 비중이 높고 평균 임금이 낮은 B, D 직업군은 AI 도입 후 오히려 실질임금이 하락할 것으로 예상되며, A, C 직업군과 B, D 직업군의 비대칭적 저학력 보유자 비율은 이러한 실질임금 격차를 심화시킬 것으로 예상된다. 또한, [자료 3]에서 A, C 직업군은 AI 도입 후 일자리가 순증가하지만 B, D 직군의 일자리는 순감소한다. 즉, 고학력·고임금 일자리는 AI 도입 후 임금 상승과 일자리 증가가 예상되지만 저학력·저임금 일자리는 임금 하락과 일자리 감소가 예상되어 소득불평등 문제가 심화될 수밖에 없다.
>
> 이를 개선하기 위해서는 첫째, 일자리의 순 증가율이 높은 직업군으로의 재취업 교육을 지원하는 방법이 있다. 둘째, 저학력 보유자의 고학력 취득을 돕기 위한 학자금·장학금 제도와 같이 성인 대상 고등교육 기능을 강화할 필요가 있다. 셋째, AI 도입으로 소득 증대 효과를 보거나 일자리 대체를 한 직업군으로부터 세금을 거둬 소득 재분배 또는 실직 근로자 지원에 사용할 수 있다.
>
> (640자)

3. 2023학년도 인하대 수시 논술

[논제] '인하국'은 인구 감소에 대처하기 위해 결혼과 출산에 대한 직접적 지원을 시행하고자 한다. 그 재원은 독신 가구와 자녀가 있는 혼인 가구 간의 차등적 징세를 통해 마련하려 한다. 이러한 인하국의 정책에 대해 토론하는 상황이다.

[문항 1] <다음> 중 하나의 주장을 택한 후, 아래의 <조건>에 따라 논하시오.(1,000자±100자, 60점)

―――― < 다 음 > ――――

| 주장 1: 차등적 징세를 통한 직접적 결혼·출산 지원 정책에 찬성한다. | 주장 2: 차등적 징세를 통한 직접적 결혼·출산 지원 정책에 반대한다. |

―――― < 조 건 > ――――

1. 제시문 (가) ~ (다)를 모두 활용하여 세 가지 논거를 들어 자신의 주장을 정당화할 것.
2. 제시문 (가) ~ (다)를 모두 활용하여 자신의 주장에 대해 예상되는 세 가지 반론을 제시할 것.
3. 위에서 제기한 반론을, 조건 1에서 활용하지 않은 논거로 각각 재반박하여 자신의 주장을 옹호할 것
    (제시문 밖에서 논거를 찾는 것도 가능함).
4. 제시문의 문장을 그대로 옮기지 말 것.

인하국의 정책에 찬성한다. 먼저 제시문 (가)에 나오듯이 가정은 재생산을 통한 종족 보존의 기능을 수행함으로써 인구 감소와 노동력 부족을 해결할 뿐 아니라, 자녀의 사회화 기능을 담당하는 최소 단위란 점에서 국가는 결혼과 출산 문제에 적극적으로 개입해야 한다. 제시문 (다)의 사례가 보여주듯이 인구는 국가의 경제적·문화적 발전의 토대가 되기에 인구 감소를 극복하기 위해 독신 가구에 대한 차등적 징세도 정당화될 수 있다. 따라서 오늘날에도 경제적 이유로 출산을 포기하는 가정에 대해 국가가 주택 제공과 같은 적극적인 출산장려 정책을 펼치는 것이 중요하다. 제시문 (나)에 나오는 '꿈미래 실험 공동주택'의 사례도 안정적이고 장기적인 주거환경이 제공될 경우, 특히 사회적 취약 계층의 출산율이 증가할 수 있음을 보여준다.

그러나 제시문 (가)에 나오듯이 결혼은 행복 추구와 관련된 개인의 권리이기에 결혼과 출산에 대한 국가 개입은 부당하다는 반론이 가능하다. 가정이 담당하던 돌봄과 사회화 기능이 다양한 교육기관과 사회기구로 대체되면서 결혼과 출산은 개인의 선택으로 존중되어야 한다는 입장이다. 또한 제시문 (다)에 나오듯이 국가가 개입하여 독신 가구에게 차등적 세금을 부과하는 것은 독신 가구나 여성과 같은 특정 집단의 차별로 이어져 공정성에 반한다는 비판도 있다. 나아가 제시문 (나)의 경우처럼 설령 경제적으로 어려운 혼인 가구를 지원하더라도 육아시설과 같은 사회적 인프라가 부족할 경우 출산장려 정책이 실효를 거두지 못할 수 있다.

그렇지만 결혼과 출산을 개인의 선택에만 맡긴다면 인구 감소는 해결하기 어렵다. 국가의 개입이 꼭 개인의 자유를 억압하는 것이 아니라 당면한 사회적 문제를 해결함으로써 오히려 사회 구성원의 자유와 권리를 더 잘 보장할 수 있다. 비록 차등적 징세가 차별적 측면이 있다 하더라도 자기계발과 행복추구에 집중하는 독신가구보다 공동체의 존속과 번영에 기여하는 혼인가구를 지원하는 것이 불공정하다고 보긴 어렵다. 끝으로 사회적 인프라의 경우 단기간에 조성되기 어려우므로, 그러한 환경이 갖추어지기 전까지는 미비한 인프라를 보완할 수 있는 직접적인 지원도 필요하다.

(원고지 기준 1,057자)

인하국의 정책에 반대한다. 제시문 (가)에 따르면 결혼은 무엇보다도 스스로의 선택으로 사랑하는 사람과 가정을 형성하여 행복을 추구하는 개인의 당연한 권리이다. 또한 가정이 제공하던 자녀의 사회화 기능을 이미 학교 등 다양한 기구들이 상당 부분 대신하고 있다. (다)의 사례에서 알 수 있듯이, 획일적이고 강압적인 국가의 정책적 개입은 개인의 자유와 권리를 억압하는 결과를 초래한다. 독신 가구에 재산상의 불이익을 주고, 특히 독신 여성에게 직접세를 부과했던 고대 로마의 '율리우스법'과 유사해 보이는 인하국 정부의 발상은 공정성과 조세형평성의 차원에서 문제를 야기할 수 있다. 무엇보다 (나)의 '꿈미래 실험 공동주택'에서 알 수 있듯이, 국가의 직접적인 개입은 출산율 제고의 효과가 제한적이다. 육아라는 돌봄 노동을 온전히 여성의 몫으로 간주하는 사회적 인식과 육아를 위한 최소한의 경제·사회적 환경의 개선 없는 직접 지원만으로 출산율은 오르지 않을 것이다.

　이에 대해 제시문 (가)는 가정은 종족 보존의 최소 단위로 정서적 돌봄과 애착을 형성하는 매우 중요한 기능을 담당하기에, 그 안정적 유지를 위해 국가가 개입해야 한다고 반박할 수 있다. 또 (다)와 같이 국가의 직접적인 개입으로 인구가 증가함에 따라 경제적 발전과 문화적 융성을 이룰 수 있다고 주장하기도 한다. 뿐만 아니라 (나)의 강교원네의 경우처럼 출산을 하기 어려운 경제적 약자의 경우에는, 국가의 직접적 지원이 효과를 발휘하기도 한다.

　그러나 현재와 같은 인구과밀이 초래하는 생태적 위기를 고려할 때 인구 감소가 반드시 문제가 되는 것은 아니며, 미디어의 발전으로 다양한 사회적 관계망이 나타남으로써 가정을 보완·대체할 수 있는 정서적 교류가 가능해졌다. 또한 인구 증가가 곧 경제발전을 담보하는 것은 아니고, 기술개발과 혁신을 통해 적은 인구로도 충분히 발전할 수 있다. 그리고 공동주택에 입주했던 가구 중 다수가 약속을 이행하지 않고 스스로 떠난 사례에서도 알 수 있듯이 직접 지원은 도덕적 해이를 낳을 수 있다.

(원고지 기준 998자)

[문항 2] 제시문 (라)의 [자료 1]~[자료 4]를 활용하여 아래의 <조건>에 따라 논하시오. (600자±60자, 40점)

───────< 조 건 >───────

1. [자료 1]~[자료 4] 중 [문항 1]에서 자신이 선택한 주장을 뒷받침하는 자료를 두 개 선택할 것.

2. 선택한 자료를 해석하고 이를 토대로 자신의 주장을 정당화할 것.

'주장 1'를 선택한 경우

　인하국의 정책에 찬성하는 자료는 [자료 2]와 [자료 4]이다. <자료 2-1>에 따르면 출생률이 OECD 평균보다 낮은 B, C국은 2자녀 외벌이 가구의 세율을 낮추고 무자녀 독신 가구의 세율을 높이는 정책을 통해 최근 3년간 출생률이 증가한 반면, 두 가구 간 세율의 차이를 크게 두지 않은 A, D국은 같은 기간 출생률이 감소하였다. 따라서 현재 출생률이 OECD 평균보다 낮은 저출산 국가인 A국의 경우, B, C국과 같이 가구형태별 세율을 달리하는 차등적 조세정책을 마련함으로써 출생률을 높여야 한다. <자료 4-1>에 따르면 출산율이 높은 국가군에서 GDP 성장률이 높은 국가가 출산율이 낮은 국가군보다 더 많게 나타났다. <자료 4-2>에 따르면 결혼장려금을 지급한 국가군에서는 출산율이 높은 국가가 더 많은 반면, 지급하지 않은 국가군에서는 출산율이 낮은 국가가 더 많은 것으로 나타났다. 이를 통해 출산율과 경제성장 간에는 양의 상관관계가 있고, 이러한 출산율은 또 국가의 결혼장려금 지급과 양의 관계가 있음을 알 수 있다. 두 자료를 종합할 때, 자녀 유무에 따른 차등적 징세와 직접적인 결혼·출산 지원책은 저출산 문제를 해결하는 데 효과가 있음을 알 수 있다.

(원고지 기준 603자)

'주장 2'를 선택한 경우

[자료 1]과 [자료 3]은 인하국의 정책에 반대하는 주장을 뒷받침한다. <자료 1-1>에서 B집단은 A집단에 비해 주택 가격이 높고, 고용 안전성이 낮으며, 자녀 양육에 필요한 비용이 커 B집단이 아이를 낳아 키우기에 전반적으로 어려운 환경이라 할 수 있다. <자료 1-2>에 따르면 A집단에서는 출산장려를 위한 직접적 지원이 늘어날수록 출산율이 높아졌으나, B집단에서는 이러한 관계가 나타나지 않았다. 이를 통해 사회적 환경이 갖추어지지 않은 상태에서 이루어지는 정부의 직접적인 출산지원 정책은 그 효과를 기대하기 어려움을 알 수 있다. <자료 3-1>은 먹이 양의 변화가 군집 크기에 영향을 미치지 못함을 보여준다. A와 B를 비교하면, 부족한 음식양을 중간에 늘리더라도 처음부터 늘려 배급한 경우와 군집 크기의 변화는 비슷하게 나타났다. B와 C의 결과에서도 지속적으로 음식을 적게 배급한 경우와 중간에 늘린 경우 간에 개체 수의 변화가 비슷하게 나타났다. 이를 통해 인구 수는 자연적으로 조절되는 것이지 인위적 노력으로 바꿀 수 있는 것이 아님을 알 수 있다. 따라서 직접적 지원으로 인구 증가를 유도하는 것은 한계가 있고, 특히 자녀를 낳아 기르기 적합한 사회적 환경이 갖추어지지 않은 곳에서는 더욱 그 효과를 기대하기 어렵다고 할 수 있다.

(원고지 기준 645자)

4. 2023학년도 인하대 모의 논술

[논제] 국제정치 질서를 설명하는 관점에는 현실주의와 자유주의가 있다. 현실주의는 국가 간의 관계를 약육강식의 상태로 보아, 저마다 자국의 생존을 최우선으로 하기에 국가들이 서로 협력하기 어렵다고 주장한다. 반면 자유주의는 제도와 기구를 통해 국가의 행동을 규제할 수 있고, 국가 및 다양한 행위자들의 상호작용으로 국가 간 협력이 가능하다고 주장한다. 국제정치 질서를 바라보는 관점에 대해 토론하는 상황이다.

[문항 1] <다음> 중 하나의 주장을 택한 후, 아래의 <조건>에 따라 논하시오. (1,000자 ±100자, 60점)

─────< 다 음 >─────

주장 1 : 현실주의 관점을 지지한다.	주장 2 : 자유주의 관점을 지지한다.

─────< 조 건 >─────

1. 제시문 (가) ~ (다) 가운데 세 개를 활용하여 자신의 주장을 정당화할 것.
2. 제시문 (가) ~ (다)를 모두 활용하여 자신의 주장에 대해 예상되는 세 가지 반론을 제시할 것.
3. 위에서 제기한 반론을, 조건 1에서 활용하지 않은 논거로 각각 재반박하여 자신의 주장을 옹호할 것.
4. 제시문의 문장을 그대로 옮기지 말 것

'주장 1'를 선택한 경우

 현실주의 관점에 찬성한다. 먼저 국가 간 힘의 불균형이 실제로 존재하기 때문이다. 강자가 약자를 지배하는 것이 자연법칙이듯이 국제관계에도 패권국 중심의 지배가 불가피하다. 패권국 중심의 정치질서가 잘 작동할 경우 이는 약소국에게도 이익이 될 뿐 아니라 국제질서의 안정에도 기여하게 된다. 둘째, 인간의 본성이 이기적이고 탐욕스럽기 때문이다. 인간에게는 영토 확장에 대한 욕망이 있으며, 이로 인해 상호경쟁을 벌이는 것이 불가피한 현실이다. 셋째, 경제 개발이나 환경 보호를 위한 국제협력에서 실제로 그런 역할을 수행하는 것은 개별국가들이기 때문이다. 안녕과 평화는 세계시민주의가 아니라 개별 국가의 행정적·법적 규제를 통해 가능하며, 국가간 갈등과 충돌은 불가피하다.

 이에 대해 먼저 국가끼리도 권력이나 힘의 우위를 추구하기보다는 협력관계 구축에 헌신하거나 이를 위한 사회적 행동에 개입한다는 반론이 있다. 그래서 개개의 정부보다는 국제기구와 같은 협력체계가 국민의 필요를 잘 충족시켜줄 수 있고, 이런 협력이 개별국가에게도 장기적으로는 이익이 된다는 주장이다. 둘째, 인간 본성에 대한 현실주의적 관점에 대한 반론으로, 탐욕과 이기심을 인간의 실제 본성이 아니라 비정상적 상태로 보는 입장이다. 인간에게는 인의예지의 자질이 있으며, 이것이 조화로운 사회의 기초이자 국제평화의 토대가 된다. 끝으로 인간이 지녀야 할 도덕적 의무인 인류 공동체의 행복과 복지는 국가 상호 간의 교류와 협력을 통해 정착 가능하다.

 그러나 국제기구와 같은 협력체계도 영원한 것이 아니며, 개별국가들이 자국의 이익을 넘어 기후변화와 같은 전 지구적 대의에 헌신하기도 현실적으로는 어렵다. 또한 인의예지와 같은 인간의 본성도 이것이 잘 발휘되기 위해서는 개개인의 부단한 수양이나 국가적 교육이 필요하다. 끝으로 세계시민주의가 소중하게 여기는 자유와 관용, 평등을 인류 각각이 향유하기 위해서 무엇보다 요구되는 것이 자국의 주권보장이고, 이를 위해 세계시민 의식에 앞서 자국에 대한 귀속의식이 더 중요하기에 현실주의 입장을 지지한다.   (1008자)

'주장 2'를 선택한 경우

 국제 정치를 바라보는 시각 중 자유주의에 찬성한다. 자유주의적 관점은 인간의 본성에 부합하는 견해이다. 맹자에 따르면, 인간은 인의예지의 본성과 자질을 지녔고, 이러한 본성이야말로 평화적인 국제질서의 토대이다. 본성에서 벗어난 탐욕에서 전쟁이나 위기가 발생하며 이는 자국 백성들의 삶과 존립마저 위태롭게 할 수 있다. 비정상적인 국제질서를 평화롭게 회복하는 것은 본성의 회복이며, 개인과 국가 모두를 이롭게 하는 길이다.

 자유주의는 인간이라면 갖추어야 할 도덕적 의무에도 부합한다. 디오게네스와 스토아학파, 그리고 칸트 등은 민족적 소속과 국적, 계급과 성별의 차이를 넘어서 인간을 존중하고 수단이 아니라 목적으로 대해야 한다고 주장했다. 인간이 지녀야 할 도덕적 의무는 인류 공동체의 행복과 복지에 있다. 다른 사람을 목적으로 존중하듯이, 다른 나라를 존중하며 상호 간의 교류와 협력을 강화할 때 평화와 행복이 실현 가능하다.

 자유주의적 관점은 국가에 실질적인 이익을 제공할 수 있다. 정치학자 미트라니의 주장에 따르면, 개별 국가들은 안락과 행복을 위한 협력 관계에 관심을 가지고 있고 국제기구가 이런 욕구를 충족시켜 줄 수 있다. 국제 기구는 다양한 협력을 통해 미래에 대한 불확실성을 감소시키고, 불확실성의 감소가 주는 안정이 참여 국가들에게 장기적 이익을 보장할 수 있다.

이러한 자유주의적 관점에 대해 멜로스의 사례처럼 강자가 약자를 지배하는 냉혹한 현실을 제시하거나, 인간의 타고난 본성이 이기적이기 때문에 방치하면 무질서가 초래된다거나, 실질적으로 개인의 안전과 평화를 보장하는 것은 개별 국가이고, 국가 간에는 갈등과 경쟁이 불가피하여 국가에 대한 귀속의식이 더 중시된다는 등의 반박이 있을 수 있다.

하지만 국제정치는 부분적으로는 강자의 횡포가 존재할지라도 기본적으로 이성과 합리적 원칙이 작동하는 세계이다. 설령 인간 본성이 이기적일지라도 그 이기심을 제어하기 위해서 오히려 상호의존적 국제 질서의 구축이 요구된다. 국가 단위를 넘어서는 기후위기, 팬데믹 등과 같은 국제적 문제에 대처하기 위해서는 폐쇄적 애국주의보다 NGO와 같은 세계시민사회적 연대가 중요하다.

(1050자)

[문항 2] 제시문 (라)의 <자료 1>~<자료 4>를 활용하여 아래의 <조건>에 따라 논하시오. (600자±60자, 40점)

─── < 조 건 > ───

1. [자료 1] ~ [자료 4] 중 [문항 1]에서 자신이 선택한 주장을 뒷받침하는 자료를 두 개 선택할 것.
2. 선택한 자료를 해석하고 이를 토대로 자신의 주장을 정당화할 것

'주장 1'를 선택한 경우

[자료 1]과 [자료 3]이 현실주의 옹호 논거를 제시한다. [자료 1]은 해당 협정 파기가 무역수지 측면에서 A국에게 현실적임을 시사한다. 자유무역협정 체결 전 B국과 C국의 무역수지는 모두 0이나, 협정 체결 이후 100억 달러 흑자로 전환했다. 반면, A국은 협정 체결 전 무역수지 0에서 협정 체결 후 200억 달러 적자로 전환했다. 협정 전 대비 협정 후 B국과 C국은 이득을 보는데 반하여, A국은 손해를 보게 되는 셈이다. 따라서 A국은 협정을 파기하는 것이 무역수지 측면에서 자국에 이득이 되는 결정이다. [자료 3]은 연간 회의 회수와 회의 당 참여하는 사원수가 늘어남에 따라 부가가치 창출이 줄어듦을 시사한다. 2020년과 2021년 사이 기업 C를 비교군, 기업 A와 B를 실험군으로 보아 확인 가능하다. 기업 A의 연간 회의 회수, 회의 당 참여하는 사원수가 각각 10회, 20명/회 증가함에 따라 부가가치 창출은 3억 원 감소했다. 기업 B의 연간 회의 회수와 회의 당 참여하는 사원수가 각각 10회, 20명/회 감소함에 따라 부가가치 창출은 3억 원 증가했다. 이는 회사를 국제기구로, 사원들을 국가로 비유하여 해석가능하다. 국제기구 참여 국가 간 의사결정 구조가 복잡해질수록 비효율이 발생하여 이들 국가에게 부(-)의 효과가 발생하게 되는 것이다.

(657자)

[자료 2]와 [자료 4]는 자유주의 옹호의 논거가 된다. [자료 2]는 개별 개체들이 형성하는 군락이 커질 경우 단위 개체별로 받게 되는 외부 위협이 감소함을 보여준다. 구체적으로 단위 개체 당 평균적인 위협은 군락 A인 경우 4(4/1)개, 군락 B는 1.33(12/9)개, 군락 C는 1(16/16)개로 감소한다. 군락 형성을 통한 개별 개체 당 위협의 감소는 개체들 간 협력의 결과로 해석할 수 있는데, 국가 간에도 다자간 협력을 통해 참여국가 당 직면하는 외부 위협이 감소될 수 있음을 시사한다. [자료 4]는 양 국가가 교역에 참여할 경우 각국 소비자의 효용이 높아짐을 보여준다. 교역 없이 소비자 효용을 극대화하려면 A국은 빵 6개 또는 커피 3개, 어느 쪽이든 특화해 생산해 6의 효용을 누리고, B국은 커피 2개를 생산해 4의 효용을 누린다. A국은 B국에 비해 절대 우위임을 알 수 있다. 그러나 비교우위에 따라 A국이 빵에 특화하고 B국은 커피에 특화한 뒤 교역을 통해 A국의 빵 2개와 B국의 커피 1개를 맞교환할 경우, A국 소비자의 효용은 $6+\alpha$, B국의 효용은 $4+\alpha$로 더 높아진다. 따라서 A국과 B국 모두 교역을 통해 협력하는 것이 더 유리하다. (602자)

5. 2022학년도 인하대 수시 논술

[문항 1] <다음> 중 하나의 주장을 택한 후, 아래의 <조건>에 따라 논하시오. (1,000자 ±100자, 60점)

< 다 음 >

주장 1 : 능력주의를 찬성한다.	주장 2 : 능력주의를 반대한다.

< 조 건 >

1. 제시문 (가) ~ (바) 가운데 세 개를 활용하여 자신의 주장을 정당화할 것.
2. 조건 1에서 선택하지 않은 나머지 세 개를 활용하여 반론을 제기할 것.
3. 반론에서 제기된 논거들을 각각 재반박하여 자신의 주장을 옹호할 것 (조건 1에서 활용한 논거를 반복하지 말 것).
4. 제시문의 문장을 그대로 옮기지 말 것.

능력주의를 찬성한다. 제시문 (나)에 따르면 개인이 지능과 노력을 통해 부정하지 않은 방법으로 자기 삶을 향상하려는 노력에 대해 합당한 보상이 돌아가는 것이 올바른 사회이다. 능력에 따른 성과는 사회 재화의 분배에서 공정하고 객관적인 기준이 될 수 있다. 또한 (다)에 따르면 능력주의는 사회의 효율성과 생산성을 향상시킨다. 5%의 뛰어난 과학자가 과학발전을 견인하는 사례에서도 알 수 있듯이 능력이 뛰어난 사람에게 주어지는 정당한 보상은 개인뿐 아니라 사회발전에도 이롭기 때문이다. 나아가 (바)에 나타난 17세기 스페인과 같은 신분제 사회에서는 신분 상승 자체가 어렵거나 불의한 방법이 동원되어야 하

지만, 능력주의 체제에서는 계층상승이 가능할 뿐 아니라 그 방법도 가문이나 핏줄보다 개인의 노력이라는 점에서 공정하고 정의롭기 때문이다.

　그러나 제시문 (가)처럼 능력주의는 지능과 노력만을 능력으로 간주하기에 친절함, 공감력, 관대함과 같은 다양한 능력에 대해서는 보상하지 못한다는 반론이 있다. 또한 (라)에 따르면 능력주의는 지나친 개인주의로 흐르기 쉬워 사회 구성원 간에 과도한 경쟁을 부추김으로써 오히려 공동체의 발전을 저해할 수도 있다. 개미의 사례에서도 알 수 있듯이 이타적 협력은 고도로 발전된 사회체계를 형성하는데 이바지한다는 반론도 가능하다. 끝으로 (마)와 같이 개인의 능력이 노력 못지않게 성장 과정에서 부모나 환경의 영향을 받기 쉽기에 온전히 자기만의 노력으로 볼 수 있느냐는 비판도 있다.

　그렇지만 지능과 노력 외에 공감력이나 관대함과 같은 능력의 경우 사회적으로 합의 가능한 객관적인 측정 기준을 정하기도 어렵고 현실적으로 그런 능력에 맞는 합당한 보상을 하기도 어렵다. 나아가 이타적 협력에 토대를 둔 공동체주의를 강조하게 되면 전체를 위해 개인이 희생될 수 있으며, 삶의 발전을 추구할 수 있는 개인의 권리가 자유롭게 발휘되기도 어렵다. 끝으로 개인마다 서로 다른 가정환경이나 부모의 재력과 같은 출발선의 차이는 공교육의 향상과 약자를 배려하는 공공정책을 통해 공정하고 정의로운 결과가 도출될 수 있도록 국가가 적극적으로 개입함으로써 해소될 수 있다. 이런 근거에서 능력주의를 찬성한다. (원고지 기준 1,070자)

‘주장 2’를 선택한 경우

　능력주의를 반대한다. 제시문 (라)에 따르면 인간은 사회적 동물로, 개미의 경우와 같이 서로 협력하고 배려할 때 개인의 삶은 물론 인류사회가 발전할 수 있다. 사람들의 사회적 지위를 각 개인의 능력 탓으로 여기는 능력주의는 개인주의를 과도하게 조장하여 공동체의 발전을 저해할 수 있다. 또 (마)와 같이 개인의 능력은 청소년기 사회화 과정에서 부모의 경제·문화적 능력과 사회적 지위에 많은 영향을 받는다. 따라서 한 개인의 능력이 전적으로 타고난 지능과 노력만으로 획득된다는 능력주의의 주장은 사실과 다르다. 이외에도 (가)에서 보듯이 사람의 능력은 다양하여 각 능력이 지닌 가치 간에 우열을 평가하기란 불가능하다. 하지만 일부 특정 능력을 평가 기준으로 삼는 능력주의 사회에서는 다양한 능력이 공정한 평가와 보상을 받기 어렵다.

　이에 대해 제시문 (나)는 재화의 분배에서 중요한 문제는 전체 사회가 수용할 수 있는 공정한 기준의 마련이며, 개인의 능력에 따라 정당하게 획득한 소유와 보상을 인정하는 능력주의만큼 객관적인 방법은 없다고 반박한다. 또 (다)와 같이 전체 사회의 발전을 위해 능력이 있는 사람에게 그 능력에 걸맞게 차등적이고 집중적으로 지원하는 것이 효율적·생산적이라는 점에서 능력주의의 필요성을 주장하기도 한다. 이뿐 아니라 (바)에서처럼 신분 상승이 불가능하거나, 권력자의 자의와 전횡으로 자격이 없는 자가 신분 상승을 이루던 사회를 타파하는 데 능력주의가 중요한 역할을 했던 역사적 근거를 통해 능력주의를 지지하기도 한다.

　그러나 인류사회의 기본 전제인 사회 공동체의 입장에서 보면, 개인의 능력에 따른 보상은 능력이 부족하여 도움이 필요한 사회적 약자의 기본권을 무시할 수 있고, 소수의 능력 있는 사람에 대한 집중적인 지원은 다수가 잠재적인 능력을 개발하고 발휘할 조건을 빼앗음으로써 장기적으로 사회발전에 부정적인 결과를 낳을 수 있다. 또 능력에 따른 사회에서도 능력이 대대로 세습됨으로써 사회적 계층의 분화가 날로 심화하고 공고화되어, 사람들의 사회적 신분 상승은 여전히 어렵다.　　　　　　　　　　(원고지 기준 1,009자)

[문항 2] 제시문 (사)의 <자료 1>~<자료 4>를 활용하여 아래의 <조건>에 따라 논하시오. (600자±60자, 40점)

――――――――――――――――< 조 건 >――――――――――――――――

1. [자료 1] ~ [자료 4] 중 [문항 1]에서 자신이 선택한 주장을 뒷받침하는 자료를 두 개 선택할 것.
2. 선택한 자료를 해석하고 이를 토대로 자신의 주장을 정당화할 것.

'주장 1'를 선택한 경우

　능력주의 찬성을 뒷받침하는 자료는 [자료 1]과 [자료 4]이다. <자료 1-1>에서 표준화된 시험으로 선발하고 하향식 의사결정을 하지 않으며, 성과 기준으로 연봉이 산정되는 공공 부문의 능력주의 수준이 높다고 할 때, C, B, A 집단 순으로 능력주의가 높게 나타나고 있다. <자료 1-2>는 C, B, A 집단 순으로 부패지수가 낮고 정부신뢰도가 높은 분포를 보여준다. 이를 통해 공직의 선발과 운영, 보상이 능력에 기반하여 이루어질수록 공공 부문의 부패가 낮아져 정부에 대한 신뢰도가 높아짐을 알 수 있다. 다음으로 <자료 4-1>에 제시된 두 노동자의 생산 가능 곡선을 통해 노동자 A는 가방, 노동자 B는 구두 생산에 비교우위가 있음을 알 수 있다. 제품별 생산량에 제한을 두지 않고 성과급제를 도입하자, 각 노동자는 더 많은 임금을 받기 위해 자신이 비교우위를 갖는 제품을 집중적으로 생산하였다. 이에 따라 가방과 구두의 생산량이 각각 9개에서 12개로 증가하였고, 각 노동자가 받는 보상 역시 늘어났다. 이처럼 능력주의는 각자의 차별화된 역량에 집중하게 함으로써 생산의 효율성을 높이고 전체 사회의 생산량을 증가시키는 효과를 낳는다.

　　　　　　　　　　　　　　　　　　　　　　　　　　　　(원고지 기준 586자)

'주장 2'를 선택한 경우

　[자료 2]와 [자료 3]은 능력주의를 반대하는 주장을 뒷받침한다. 먼저 <자료 2-1>에 따르면 능력주의에 기반하여 산업구조가 변화함에 따라 고숙련과 저숙련 노동의 고용 비중은 높아지지만, 중간숙련 노동의 고용 비중은 감소하고 있다. <자료 2-2>는 능력주의가 확대될수록 중간숙련 노동자의 평균 소득이 고숙련 노동자에 비해 상대적으로 줄어들고 저숙련 노동자와 비슷해짐을 보여준다. 두 자료를 종합할 때 능력주의가 확대됨에 따라 중간 노동 계층의 크기와 소득이 줄어들어 사회경제적 양극화가 심해짐을 알 수 있다. <자료 3-1>은 상대평가 등급제와 고등학교 비평준화로 능력주의에 기반을 둔 교육정책 실시 여부를 조사

하고, 교우관계와 학교생활 만족도로 사회 구성원의 행복을 측정한다. <자료 3-1>의 내용을 상관관계로 정리한 <자료 3-2>에 따르면 상대 평가 등급제와 고등학교 비평준화를 실시한 국가의 학습시간이 길다. 학습시간은 청소년의 교우관계 만족도, 학교생활 만족도와 역의 상관관계를 가진다. 이를 통해 능력주의에 기반한 교육제도에서는 청소년 간 경쟁이 심화되고 학습시간이 늘어나 교우관계가 멀어지고 이로 인해 청소년의 심리적 만족감이 떨어짐을 알 수 있다.

(원고지 기준 596자)

6. 2022학년도 인하대 모의 논술

[문항 1] <다음> 중 하나의 주장을 택한 후, 아래의 <조건>에 따라 논하시오. (1,000자 ±100자, 60점)

─────< 다 음 >─────

주장 1 : 백신 국가주의를 찬성한다.	주장 2 : 백신 국가주의를 반대한다.

─────< 조 건 >─────

1. 제시문 (가) ~ (바) 가운데 세 개를 활용하여 자신의 주장을 정당화할 것.
2. 조건 1에서 선택하지 않은 나머지 세 개를 활용하여 반론을 제기할 것.
3. 위에서 제기한 반론을, 조건 1에서 활용하지 않은 논거로 각각 재반박하여 자신의 주장을 옹호할 것.
4. 제시문의 문장을 그대로 옮기지 말 것.

'주장 1'를 선택한 경우

백신 국가주의를 찬성한다. 그 이유는 첫째, 국가의 가장 중요한 존립 근거가 국민의 행복과 안전을 보장하는 데 있는 이상, 국민의 생명을 위협하는 전염병 팬데믹의 상황에서 각 국가가 우선 취해야 할 태도는 바로 자국민 보호이기 때문이다. 둘째, 전염병 팬데믹에 효율적으로 대응하기 위해서는 실제 통제능력을 갖춘 주체들을 중심으로 전체 상황을 체계적이고 질서 있게 통제하는 것이 중요하다. 이를 위해서 우선 방역의 주체인 각 국가가 백신개발 등 자구적 통제 능력을 갖추도록 노력하는 것이 중요하고, 각 국가 상황에 맞게 국가단위로 대처하는 것이 효율적이기 때문이다. 셋째, 전염병 팬데믹을 조속히 종식시키기 위해 가장 중요한 것은 백신개발이며, 이를 촉진하기 위해서는 지적재산권을 보호할 필요가 있기 때문이다.

물론 이에 대해 다음과 같은 반론이 제기될 수 있다. 첫째 자국민을 우선 보호하면 국가 보호의 사각지대에 있는 사람들이나 국가의 역량이 미약한 국민들의 생명이 안전을 보장받기 어렵다는 점, 둘째, 전염병 팬데믹으로부터 최대한 많은 인류의 안전을 보호하기 위해서는 국제기구를 통한 국가 간의 상호협력이 가장 효율적이라는 점, 셋째, 발명을 위해 특허권의 보호가 필요하지만 인간의 존엄과 생명권에 우선할 수 없고, 수많은 인류의 생명과 직결된 전염병 팬데믹의 상황에서 특허권은 보류되어야 한다는 점이 그것이다.

　그러나 인권이 국가의 경계를 초월한다고 해도, 지금까지 인권보호의 실질적인 주체였던 국가의 역할이 명확하지 않으면 오히려 인권이 자본 등 다른 권력에 의해 좌우되는 등 인권 보호의 주체와 책임 소재가 불명확해질 수 있다. 또 같은 팬데믹의 상황에서도 각 국가의 위기정도나 상황이 상이하고, 국제기구가 각 국가의 행동을 통제할 만큼 역량을 갖추지 못한 경우 효율적인 국가 간 협력을 기대하기 어렵다. 또한 팬데믹과 같은 위기 상황에서 단기간에 백신을 개발하기 위해서는 모험적인 투자와 많은 비용이 소요되는 만큼, 이에 대한 적극적인 투자를 유도하기 위해 특허권을 보장할 필요가 있다.

(원고지 기준 1,005자)

'주장 2'를 선택한 경우

　백신 국가주의를 반대한다. 보편적 인권의 관점에서 보자면 누구나 전염병의 위험으로부터 보호 받을 권리가 있기 때문이다. 백신을 개발한 특정 국가에 우연히 태어나지 않았다는 것만으로 보호받을 권리를 박탈당하게 된다면 이것은 인격적 절멸의 위험에 노출되는 것과 같다. 둘째, 특정 국가가 개발한 백신과 같은 신기술의 특허권을 과도하게 보호해 줄 경우 이것이 오히려 다른 사회적 약자들에 대한 차별로 이어질 수 있다. 가령 지적 재산권을 이유로 인디언에 대한 차별적인 상표권을 용인하게 되면 인디언에 대한 부정적 인식은 강화될 수밖에 없다. 마지막으로 팬데믹 상황에서는 자국 이기주의에 빠지기보다는 국가 간의 폭넓은 협력이 실제로 전염병을 종식시키는데 중요하기 때문이다.

　그러나 백신 국가주의를 찬성하는 입장에서는 자국민 보호가 국가의 일차적 의무라고 반론을 제기할 수 있다. 국가가 정치적으로 책임져야 할 대상은 자국민이며, 만약 위협으로부터 국민의 안전을 보장해주지 못할 경우 국민은 그런 국가를 바꿀 권리도 있기 때문이다. 또한 신기술의 경우 그 지적재산권을 적극적으로 보호해주지 않는다면 앞으로 기술혁신을 기대하기 어렵다는 반론도 있다. 근대 특허제도의 정착 덕분에 전구발명과 같은 기술혁신으로 사회발전이 가능했기 때문이다. 마지막으로 팬데믹 상황을 극복하기 위해서는 자원과 인력의 효율적인 활용이 매우 중요하기에 백신에서도 우선순위에 근거한 선택과 집중이 필요하다는 반론도 있다.

　하지만 우리는 이미 지구촌으로 촘촘히 연결된 세계에 살고 있기에 자국민의 안전만 따로 분리하기는 쉽지 않다. 인적 물적 교류가 전 지구적으로 일어나는 상황에서 국경을 잠그는 것은 일시적인 조치밖에 될 수 없다. 또한 지적재산권이 기술혁신을 촉진하는 것은 사실이지만 백신 개발에는 특정 국가나 개인의 노력뿐 아니라 인류가 축적한 공동의 지혜에 기반하기에 소수의 이익을 위하기보다는 지적재산권을 공유하는 것이 바람직하다. 나아가 팬데믹 상황에서는 전염병의 특성상 한 집단의 면역만으로 효과를 담보하기 어렵기 때문에 백신을 공유하는 것이 보다 효과적으로 위기에 대응할 수 있다.

(원고지 기준 1,038자)

[문항 2] 제시문 (사)의 <자료 1>~<자료 4>를 활용하여 아래의 <조건>에 따라 논하시오.
(600자±60자, 40점)

─────── < 조 건 > ───────

1. <자료 1> ~ <자료 4> 가운데 두 개를 활용하여, [문항 1]에서 자신이 선택한 주장을 정당화할 것.
2. 제시문의 문장을 그대로 옮기지 말 것.

'주장 1'를 선택한 경우

백신 국가주의를 찬성한다. 백신 국가주의는 자국의 지적재산권 보호를 강화함으로써 백신개발과 같은 혁신 역량을 강화하는데 효과적이다. <자료 1>에 따르면 IIPI 지수가 상위권인 국가들의 대부분이 GII 지수도 상위권에 속한다. 반대로 IIPI 지수가 낮은 국가들은 대부분 GII 지수도 낮다. 즉 지적재산권의 철저한 보호가 자국 내 기업들의 혁신활동에 강력한 인센티브를 제공하고 있음을 의미한다. 당장 어려운 국가들을 돕는다는 이유로 자국의 지적재산권 보호에 소홀히 한다면 미래에 등장할 새로운 질병에 대비하지 못하고 국가 간 경쟁에서 주도권을 빼앗길 수도 있다. 백신 국가주의는 자국의 이익을 우선시하는 국제협력의 현실을 고려할 때도 합리적이다. <자료 4>는 핵무기 보유를 둘러싼 강대국의 군비경쟁 상황을 나타낸다. 상대국이 협력할 확률이 50%인 상황에서, 강대국 1, 2 모두 협력 시 평균 1.5개, 비협력 시 평균 9개의 핵무기를 보유하게 된다. 이러한 딜레마 상황에서 양국 간 협력은 이루어질 수 없다. 협력을 택했다 상대국이 비협력한다면 큰 군사적 위협을 받게 되기 때문이다. 이는 국제정치에서 국가 간 협력은 이루어지기 어려우며, 특히 펜데믹과 같은 위기 상황에서 백신 공유와 같은 섣부른 협력은 자국에 큰 피해를 초래할 수 있음을 보여준다.

(원고지 기준 648자)

'주장 2'를 선택한 경우

백신 국가주의를 반대한다. <자료 2>는 백신을 개발한 선진국이 다른 국가들과 백신을 공유하지 않으면 선진국의 경제성장률이 -3.1%을 기록할 것이지만, 백신을 공유한다면 선진국의 경제성장률이 -1.3%로 개선될 것이라는 예상을 보여준다. 이는 많은 국가가 서로 연결되어있는 상황에서 선진국이 백신을 독점하는 것보다는 공유하는 것이 자국의 장기적인 경제성장에도 도움이 된다는 것을 보여준다. <자료 3>은 다른 국가와의 교류가 없이 재화를 생산하고 소비하는 국내 소비형의 비중은 줄어드는 추세이고, 원자재의 수입 후 최종재를 수출하는 수출형의 비중은 소폭 증가하고 있는 추세지만, 중간재를 수입하고 가공하여 중간재를 수출하는 국제분업형의 비중은 증가하고 있다는 것을 보여준다. 이는 국가 간의 교류가 증가하고 있다는 의미이다. 이를 전염병 팬데믹 상황에 도입한다면 어느 한 국가만이 백신을 접종한다고 해서 전염병에서 벗어날 가능성이 낮다고 볼 수 있다. 이를 종합할 때, 많은 국가들이 상호 의존 관계로 연결되어있는 현대 사회에서 백신 국가주의는 그 효용이 낮음을 의미한다. 따라서 나는 백신 국가주의를 반대한다.

(원고지 기준 567자)

7. 2021학년도 인하대 수시 논술

[문항 1] <다음> 중 하나의 주장을 택한 후, 아래의 <조건>에 따라 논하시오. (1,000자 ±100자, 60점)

< 다 음 >

주장 1 : 기본소득 제도 도입을 찬성한다.	주장 2 : 기본소득 제도 도입을 반대한다.

< 조 건 >

1. 제시문 (가) ~ (바) 가운데 세 개를 활용하여 자신의 주장을 정당화할 것.
2. 조건 1에서 선택하지 않은 나머지 세 개를 활용하여 반론을 제기할 것.
3. 반론에서 제기된 논거들을 각각 재반박하여 자신이 선택한 주장을 옹호할 것.
4. 제시문의 문장을 그대로 옮기지 말 것.

주장 1(기본소득 제도 도입을 찬성)을 택한 경우

기본소득 제도 도입을 찬성한다. 먼저 사회의 부는 노동을 통해서만이 아니라 공유적 성격이 강한 사회 인프라, 빅데이터나 인공지능과 같은 기술, 그리고 천연자원 등을 이용해서도 생산되기 때문이다. 따라서 이런 공유재를 이용하여 생산된 부에 대해서는 사회 전체에게 공동의 권리가 있다. 또한 기본소득은 공동체의 존속에 필요하지만 그 사회적 가치를 인정받지 못한 노동에 대한 경제적 보상의 의미도 지닌다. 기본소득은 이런 사회활동의 가치를 향상시켜 삶의 만족감을 높일 수 있다. 끝으로 기본소득은 사람들에게 직접 현금을 지급함으로써 소비자의 시장 참여를 북돋을 수 있다. 기본소득을 지급하게 되면 누구든지 소비자로서의 구매력을 일정하게 유지할 수 있고, 이것은 소비 증가로 이어져 시장의 활력을 높이는데 기여할 수 있다.

하지만 아무리 천연자원이라도 일단 노동이 가해져 경제적 가치가 생산된다면 더 이상 공유재로 간주될 수 없다는 반론이 있다. 개인의 노동은 사적인 것이기에 그 노동의 결과로 생산된 것에 대해서도 사적인 소유권을 인정하고 보호해야 한다는 것이다. 또한 빈곤이나 질병처럼 돌봄이 필요한 문제를 해결하기 위해서 제한된 국가 예산 안에서 이런 사회권을 가장 필요로 하는 약자들에게 재정이 우선 분배되어야 한다는 주장도 있다. 끝으로 노동을 하지 않는데도 기본소득을 지급할 경우 근로의욕이 약해져 경제성장의 동력이 떨어진다는 반론도 있다.

그렇지만 자원의 유한성을 생각할 때 노동의 투입만으로 사적 소유권을 주장하는 데는 한계가 있다. 자연에 대한 사적 소유권의 남용은 무한한 이윤추구로 이어져 하나뿐인 지구 생태계를 위협하게 될 것이다. 또한 사회적 약자에게 사회권을 우선 배분하는 것은 한정된 재정에서는 필요한 일이지만 대상을 선정하는 행정적 낭비뿐 아니라 대상자가 느낄 사회적 낙인에 대한 비용도 만만치 않다. 끝으로 기본소득으로 노동의욕이 떨어지기보다는 오히려 기존의 고용구조에 얽매이지 않은 채 자신만의 주도적인 삶을 추구할 수도 있다. 이렇듯 기본소득 제도가 야기할 문제보다 그로 인해 얻게 될 가치가 더 큼으로 도입에 찬성한다.

(원고지 기준 1,029자)

주장 2(기본소득 제도 도입을 반대)를 택한 경우

　기본소득 제도 도입을 반대한다. 먼저 기본소득은 전 국민을 대상으로 하는 만큼 많은 재정이 소요되기 때문에 도움이 필요 없는 사람까지 지원하기보다 사회적 보호가 꼭 필요한 약자를 우선적으로 지원하는 것이 더 공정하다. 둘째, 정당한 재산권은 자기의 노동을 기반하고 있다. 노동에 관계없이 보편적으로 지급되는 기본소득은 이러한 정당한 재산권의 개념에 어긋나 노동의 가치를 약화시키고, 사적 소유권에 의해 추동되는 사회적 부의 창출을 저해할 수 있다. 마지막으로 일본의 '프리타' 사례에서 보듯이 기본소득의 지급은 노동 유인을 약화시켜 산업이 필요로 하는 노동의 공급을 감소시킴으로써 국가경제가 위축될 수 있다.

　그러나 사회의 부는 직접적인 노동만이 아니라 공유재 성격을 지닌 사회 인프라, 빅데이터나 인공지능과 같은 기술, 천연자원 등을 이용하여 생산되기 때문에 모든 사회 구성원의 노동이 포함되어 있어 그 수익 중 일부는 균등하게 분배되어야 한다는 반론이 있을 수 있다. 또한 자동화에 의해 고용의 감소 및 그에 따른 총수요가 줄어들 것으로 예상되는 상황에서 현금성 기본소득을 지급하여 소비자의 구매력을 높일 수 있다는 주장도 있다. 마지막으로 공동체의 존속에 중요한 역할을 하면서도 그에 상응하는 사회적 가치를 인정받지 못하는 노동을 보상하고, 그러한 노동에 대한 만족감을 높이기 위해서 기본소득이 필요하다는 주장이 있다.

　하지만 공유재의 사회적 부에 대한 기여와 그에 따른 사회 구성원의 지분을 정확히 평가하기 어렵고, 헌법이 보장한 재산권을 약화시킬 수 있어 불공정하다. 또한 자동화 등의 기술 발전으로 일부 분야에서 고용이 감소해도 또 새로운 일자리가 창출되어 전체 고용과 총수요 역시 감소하지 않을 것이며, 지급된 기본소득이 전적으로 소비로 이어지는 것도 아니다. 마지막으로 사회보장의 사각지대에 있는 노동을 보상하고자 모든 사람에게 혜택을 주는 것은 사회적 낭비이며 복지항목의 세부적 설계와 사회적 인식 개선을 통해 해결할 수 있다. 따라서 기본소득 제도는 그 효용보다 현실에서 발생할 수 있는 문제가 더 클 것으로 판단되어 도입에 반대한다.

(원고지 기준 1,043자)

[문항 2] 제시문 (사)의 <자료 1>~<자료 4>를 활용하여 아래의 <조건>에 따라 논하시오. (700자±60자, 40점)

─────────< 조 건 >─────────

1. <자료 2> ~ <자료 4>를 모두 활용하여 성과가 우수할 것으로 예상되는 정책안을 <자료 1>에서 두 개 선택하고, 그 이유를 제시할 것.

2. 선택한 두 개의 정책안 중 하나를 골라 [문항 1]에서 자신이 선택한 주장을 정당화할 것.

3. 제시문의 문장을 그대로 옮기지 말 것.

주장 1(기본소득 제도 도입을 찬성)을 택한 경우

주어진 자료에서 성과가 우수한 두 안은 B, C안이다. 먼저 <자료 2>에 따르면 기본소득을 지급한 C, D안에서 현재 경제활동을 하다 5년 후 그만두는 인구의 비중은 A, B안에 비해 높아지고, 현재 경제활동을 하지 않지만 5년 후 하게 되는 인구의 비중은 낮아졌다. 산업구조와 노동 수요에 변화가 없다는 가정 하에서 C, D안은 노동 유인의 감소로 인한 노동공급 부족을 초래할 수 있다. <자료 3>에서 2사분면은 복지 급여를 받을 자격이 없는 자가 부정 수급한 경우, 4사분면은 자격이 있는 자가 수급하지 않은 복지의 사각지대를 나타낸다. A, B안은 선별적 사회보장 제도가 가진 행정의 비효율성으로 인해 C, D안보다 부정 수급과 사각지대의 규모가 더 클 것으로 예상되었다. <자료 4>에서는 복지규모 확대를 통해 부유층의 공적 이전지출이 늘고 빈곤층의 공적 이전소득이 높아진 B, C안에서, 5분위와 1분위의 평균소득 간 차이가 A, D안보다 작게 나타났다. 이를 통해 B, C안이 A, D안에 비해 소득재분배 효과가 큼을 알 수 있다. 이상의 결과를 종합할 때, 정책성과가 우수한 두 안은 B, C안이고 이 중 기본소득 제도 도입에 찬성하는 안은 C안이다. C안의 경우 비록 <자료 2>에서 노동공급 부족이 예상되기는 하나 이는 산업구조에 변화가 없다는 가정에서 나온 결과로, 4차 산업혁명이 본격화되어 노동수요가 줄어들게 되면 비경제활동인구가 줄어들더라도 노동공급이 부족해지지 않을 것이다.

(원고지 기준 696자)

주장 2(기본소득 제도 도입을 반대)를 택한 경우

정책효과가 우수한 안은 B안과 C안이다. <자료 2>에서 A와 B안은 나머지 두 안에 비하여 경제활동인구가 비경제활동인구로 전환된 비율이 6.5%와 6.8%로 낮고, 그 반대의 경우는 높다. 이는 기본소득 제도가 도입된 C와 D안은 노동유인을 감소시켜 노동공급이 줄어들고 있음을 의미한다. <자료 3>에서 D와 C안은 나머지 두 안에 비해 부정 수급과 적격자의 비수급 비율이 낮다. 이는 A와 B안은 소득조사 등 복잡한 선별과정으로 행정의 비효율성이 높음을 의미한다. 마지막으로, <자료 4>를 보면 B와 C안은 예산을 확대하는 안으로 세율증가 등으로 고소득층의 공적 이전지출이 늘어나 처분가능소득이 낮아지며, 저소득층은 복지예산 증가나 기본소득 지급으로 공적 이전소득이 늘어나 처분가능소득이 높아졌다. 이는 B와 C안은 나머지 안에 비해 5분위와 1분위 간 소득격차를 감소시켜 소득재분배 효과가 더 큰 것을 의미한다. 위의 결과를 종합하면 B와 C안의 정책성과가 나머지 안들에 비해 더 우수하다. 이 중 B안은 복지행정의 비효율 문제가 있기는 하지만 이는 부정수급에 대한 감시를 강화하고 선별절차를 간소화하는 등의 복지행정력을 강화하는 것으로 해결될 수 있다. 복지정책에서 더 중요한 문제는 노동유인 약화를 막고 소득 불평등을 해소하는 것인데 B안은 이 두 기준에서 모두 우수하므로 기존 복지정책을 강화하는 것이 더 바람직하다는 주장을 뒷받침한다.

(원고지 기준 681자)

8. 2021학년도 인하대 모의 논술

[문항 1] <다음> 중 하나의 주장을 택한 후, 아래의 <조건>에 따라 논하시오. (600자 ±100자, 60점)

┌─────────────────────< 다 음 >─────────────────────┐

┌──────────────────────┐   ┌──────────────────────┐
│ 주장 1 : 다수대표제가 더 │   │ 주장 2 : 비례대표제가 더 │
│   바람직하다.   │   │   바람직하다.   │
└──────────────────────┘   └──────────────────────┘

─────────────────────< 조 건 >─────────────────────

1. 제시문 (사)의 <자료 2>~<자료 5>를 모두 활용하여 자신이 택한 주장에 가장 잘 부합하는 국가를 하나 선택하고, 그 국가를 선택한 이유를 같은 자료를 활용하여 제시할 것.
2. 제시문의 문장을 그대로 옮기지 말 것.

└──┘

'주장 1'를 선택한 경우

다수대표제가 바람직하다는 주장 1을 선택한다. 이에 가장 잘 부합하는 국가는 C국이다. 책임성의 측면에서는 A, C국이 B, D국보다 우수하고, 대표성의 측면에서는 C국이 B, D국에 비해 많이 떨어지지 않으면서 A국보다 나은 결과를 보였기 때문이다. 먼저 책임성의 측면에서 제시문 <사>의 <자료 4>를 보면 1인당 국민소득과 노동자의 소득구조 등 거시경제 성과에 따라 여당의 선거결과가 좌우된 A, C국이, 그렇지 않은 B, D국에 비해 책임성이 높은 것으로 나타났다. <자료 5>에서도 개인적 수준에서 정부 평가에 따라 여당에 투표할 확률, 즉 그래프의 기울기가 A, C국이 B, D국에 비해 높다. 대표성에 있어서는 <자료 2>의 상황을 볼 때, 군소정당이 의회진입에 실패한 A, C국이 각 당이 득표한 비율대로 의석을 확보한 B, D국에 비해 낮게 나타났다. 하지만 이러한 대표성의 왜곡은 A국에서 보다 심하였다. <자료 3>에서도 여러 정당이 다양한 시민의 이념성향을 대변하는 B, D국의 대표성이, 중도성향의 두 정당만 존재하는 A, C국보다 높게 나타났다. 하지만 시민의 이념성향이 중도에 몰려있는 C국의 대표성이, 다양하게 퍼져있는 A국보다는 낮다고 할 수 있다.

(원고지 기준 604자)

'주장 2'를 선택한 경우

비례대표제가 더 바람직하다는 주장 2를 선택한다. 이를 가장 잘 보여주는 국가는 B국이다. <자료 2>에서 비례대표제를 택한 B, D국은 정당별 의석점유율이 득표율에 비례하여 나타났지만, A, C국은 군소정당이 의회진입에 실패하였다. <자료 3>은 다양한 정당이 의회에 진입한 B, D국에서, 두 거대정당만이 의회에 진입한 A, C국보다 넓은 범위의 이념성향이 대변되고 있음을 보여준다. 특히 시민의 이념성향이 보다 다양하게 분포되어 있는 B국에서 이러한 비례대표제의 장점이 극대화되고 있다. 또한 B국은 책임성의 측면에서도 다수대표제에 못지않은 선거 결과를 보였다. <자료 4>를 보면 B국은 여당이 집권하는 동안 국민소득과 임금노동자의 소득구조가 개선되었고 이러한 성과를 바탕으로 여당은, 비록 직전 선거보다 득표율은 떨어졌지만 재집권에 성공하였다. 반면 D국은 마이너스 성장을 하고 노동자의 소득구조가 악화되었음에도 여당이 재집권에 성공하는 등 선거가 책임성의 도구로 제대로 활용되지 못하였다. <자료 5>에 따르면 개인 수준에서 정부평가에 따라 여당에 투표하는 정도가 B국이 A, C국만큼 높게 나타나지는 않았지만, D국에 비해서는 강하게 나타났다. 이를 종합할 때 비례대표제의 장점을 가장 잘 보여주는 국가는 B국이라 할 수 있다.

(원고지 기준 638자)

[문항 2] 아래의 <조건>을 고려하여 [문항 1]에서 택한 자신의 주장을 정당화하고, 이에 대해 예상되는 반론을 제시한 후, 이를 재반박하시오. (1,000자±100자, 50점)

―――――――― < 조 건 > ――――――――

1. 제시문 (가) ~ (바) 가운데 세 개를 활용하여 자신의 주장을 정당화할 것.
2. 반론의 논거 역시 제시문 (가) ~ (바) 중 세 개를 활용하여 제시할 것.
3. 재반박에서는 제시문 (사)의 <자료 1>에서 자신이 선택한 국가의 특징을 분석하여 자신의 주장을 옹호할 것.
4. 제시문의 문장을 그대로 옮기지 말 것.

'주장 1'를 선택한 경우

다수대표제가 바람직하다. 그 이유는 다수대표제의 불가피성 및 효율성과 비례대표제의 확대가 초래할 문제점 때문이다. 우선 다수대표제는 민주주의의 중요한 가치인 정치적 평등과 상호 동의에 기반을 둔 공동체 발전을 위해 필요불가결한 방법이다. 모든 사람들의 권리가 균등하게 존중 받으면서 최대 다수의 권리가 보장되는 방식은 다수결 방식보다 나은 것이 없다. 또 다수결의 결정은 최대한 많은 사람들의 의견이 대변될 수 있다는 점에서 사회적 효용이 극대화될 수 있다. 둘째, 다수대표제는 책임의 소재와 주체를 명확히 하여 책임 있는 정책의 입안과 수행을 유도할 수 있다. 책임의 소재가 명확하면 국민들의 적극적이고 비판적인 참여가 높아져 책임 있는 정치를 촉진시킬 수 있다. 반면 책임소재가 불명확하거나 분산될 경우 문제에 대한 책임 회피가 나타날 수 있고, 또 소액주주의 경우와 같이 참여 주체들이 전체의 장기적인 이익보다는 단기적이고 개인적인 이익실현에 중점을 둠으로써 통일된 의견의 수렴이 어렵고 무책임한 결정이 초래될 수 있다.

물론 다수대표제가 가장 이상적인 것은 아니다. 다수대표제에 대한 비판은 주로 소수의 권리가 무시되어 대표성이 약화될 수 있다는 점, 그리고 상당수의 반대에도 불구하고 종종 극히 적은 표차로 중대한 사안이 결정되어 버리는 경우가 발생하기도 한다는 점이 지적된다. 또 현대사회에서는 사회문제의 해결에 있어서 가능한 많은 사람의 참여를 통해 보다 효율적이고 합리적인 대안을 모색하는 집단지성이, 그리고 사회의 발전에서 다양성의 가치가 더욱 중요하다는 점에서 비판을 하기도 한다.

하지만 다수대표제가 반드시 대표성을 약화시키거나 집단적 지성의 힘을 발휘하지 못하는 것은 아니다. C국과 같이 사회적 구성이 비교적 동질적인 사회에서는 소수자와 다수자 간의 입장차이가 심하지 않고 소수의 의견 중 상당부분은 다수의 의견에서 포괄되기도 한다.

특히 민주주의의 역사가 짧은 C국의 경우에 비례대표제는 장점의 효과는 적고 사회적 혼란만 가중시키는 단점이 더 부각될 수 있다. 따라서 민주주의 역사가 짧고 동질적인 사회에서는 다수대표제가 더 바람직하다고 할 수 있다.

(원고지 기준 1,048자)

'주장 2'를 선택한 경우

비례대표제가 바람직하다. 그 이유는 서로 다른 경험을 가진 사람들이 공존하기 위해서는 비례대표제처럼 정치적으로 다양한 삶의 경험이 대변되는 것이 중요하기 때문이다. 많은 소수 언어들이 사라짐으로써 그 언어들이 표현하던 자연세계와 사회문화적 다양성이 소멸되는 것처럼 사회적으로 다양한 경험들이 대변되지 못하게 되면 우리의 세계인식 역시 협소해질 수 있다. 또 비례대표제에서는 다양한 관점을 지닌 시민들이 집단지성을 통해 보다 합리적으로 서로의 가치를 존중하는 정치를 할 수 있다. 현대사회는 과거처럼 일부 엘리트들이 지식을 독점하기 어려운 만큼 다중의 집단지성이 정치적으로 복잡한 문제를 올바로 해결하는데도 효율적이다. 나아가 다수대표제의 경우 브렉시트처럼 국가적으로 중대한 사안이 근소한 표차로 결정됨으로써 다수결 투표에서 반대 유권자들의 비례성이 전혀 반영되지 않는 위험도 있다.

물론 비례대표제에 대해 다수대표제보다 정확한 정치적 책임 소재와 주체가 불분명하다는 비판이 있다. 또한 다수결로 소수가 다수의 의견을 따르는 것은 1인1표라는 정치적 평등을 구현하려는 공동체의 약속이자 사회적 효용성의 측면에서도 효과적이라는 의견이 있다. 이처럼 다수대표제는 책임성이 크기 때문에 대주주 중심의 기업경영에서처럼 신속한 의사결정과 혁신, 장기적인 정책추진 등으로 비례대표제보다 책임 있는 국정운영을 할 수 있다고 볼 수도 있다.

그러나 비례대표제가 다수대표제에 비해 반드시 책임성이 떨어지는 것은 아니다. B국의 경우처럼 사회 구성원이 언어, 인종, 문화적으로 다양한 경우 이들의 대표성을 보다 균등하게 골고루 반영할 수 있는 비례대표제가 오히려 책임성이 더 높다고 할 수 있다. 또 B국처럼 민주주의의 역사가 오래된 경우 서로 다른 집단들이 합의와 조정을 통한 의사결정 방식에도 익숙하기에 비례대표제라도 다수대표제만큼 신속한 정책입안과 결정에 효율적일 수 있다. 따라서 민주주의의 역사가 길고, 다양한 여론이 형성될 수 있는 다문화사회인 경우 비례대표제가 더 바람직하다고 할 수 있다.

(원고지 기준 997자)

9. 2020학년도 인하대 수시 논술

[문항 1] 아래의 <조건>을 고려하여 [문항 1]에서 택한 자신의 주장을 정당화하고, 이에 대해 예상되는 반론을 제시한 후, 이를 재반박하시오. (1,000자±100자, 60점)

―――――――< 조 건 >―――――――

1. 제시문 (나) ~ (라) 가운데 두 개를 활용하여 자신의 주장을 정당화할 것.
2. 반론의 논거 역시 제시문 (나) ~ (라) 중 두 개를 활용하여 제시할 것.

3. 재반박에서는 [문항 1]에서 선택한 국가의 특징을 고려하여 자신의 주장을 옹호할
것.
4. 제시문의 문장을 그대로 옮기지 말 것.

'주장 1'를 선택한 경우

 SNS의 확산은 사회적 쟁점에 대한 참여 확대 또는 합의 도출에 기여한다. SNS는 지리
적 경계를 뛰어넘어 새로운 인적 네트워크를 형성하는데 도움을 준다. 사람들은 쟁점에 대
한 자신의 의견을 페이스북이나 유튜브로 알리고 다른 사람들의 의견도 접할 수 있다. 채
팅이나 콘텐츠 게시와 같은 SNS의 의견 교환 방식으로 정보가 쉽고 빠르게 교환될 뿐 아
니라 그 교환이 장기적으로 지속된다. 이처럼 지속적이고 신속한 정보 교환이 가능한 네트
워크가 형성되면 시민들의 참여도는 높아지게 된다. 대구에서 시작되어 전국으로 확산된
국채보상운동이나 맨체스터에서 시작된 투표권 운동은 네트워크 형성이 참여 확대에 기여
한 좋은 사례다.
 물론 SNS의 확산이 사람들에게 편향된 의견을 심어줌으로써 합의 도출을 저해한다는 반
론도 있다. 유튜브의 추천 영상 제공이나 페이스북의 친구 추천 기능과 같은 알고리즘은
SNS가 지닌 정보중개자적 특성을 잘 보여준다. 이러한 기능으로 자신의 취향에 맞게 제
공된 정보만 장기간 접촉하게 됨으로써 개인의 생각이 제한되는 필터 버블 현상이 생길 수
있다. 그로 인해 사람들은 자신의 견해에 부합하는 정보만을 선택적으로 수용하게 된다.
그 결과 기존의 입장이 굳어지고 동질적인 사람들과 결속이 강화되어 반대 입장을 가진 사
람들과 갈등이 커진다. 이 경우 SNS가 발달한 미국의 사례에서 볼 수 있듯이 유권자들의
정치적 성향이 편협해짐으로써 사회적 합의가 어려워질 수 있다.
 그러나 SNS의 확산이 반드시 이런 결과를 낳는 것은 아니다. 가령 C국처럼 SNS가 확
산되어도 쟁점에 대한 입장이 극단으로 쏠리지 않은 채 사회적 참여도가 높아질 수 있다.
C국은 사회 내의 낯선 사람들에 대한 신뢰가 높고, 시민들이 공공선을 추구하는 단체에
많이 가입되어 있다. 사회적 자본에서 일반화된 신뢰가 높고, 외부지향적인 연결형 단체의
참여가 높은 나라에서는 SNS의 확산이 편향을 강화하지 않는다. 따라서 개방적이고 포용
적인 사회적 자본을 늘리도록 노력한다면 SNS가 지닌 부정적 특성은 충분히 제어될 수
있다.

(원고지 기준 1,013자)

'주장 2'를 선택한 경우

 주장 2를 지지한다. SNS 확산이 합의 도출을 저해하는 이유는 SNS 고유의 알고리즘
특성과 이용자의 편향적 정보 선택 때문이다. 먼저 SNS의 알고리즘은 개인의 성향에 맞
춘 특정 정보를 중점적으로 제공함으로써 편향된 생각에 갇히게 만든다. 그 결과 SNS를
매개로 한 사회적 관계도 이미 정해진 자신의 성향과 유사하게 형성된다. 또한 미디어의
다양화에 따라 이용자가 정보를 선택할 수 있는 여지가 많아졌다. 이에 따라 사람들은 다
양한 정보를 비판적으로 비교하여 수용하기보다 점점 자신의 견해에 부합하는 것을 선택하

고, 인간관계 역시 자신의 입장에 동조하는 사람들로 형성된다. 그 결과 인간의 인식은 협소하고 편향적이 되며, 사회적 관계 역시 폐쇄적이고 동질적이 되기 쉽다. SNS가 발달한 미국의 사례에서 볼 수 있듯이 유권자들의 정치적 성향이 편협해짐으로써 사회적 합의가 저해되기도 한다. 따라서 SNS는 사회적 쟁점에 대한 합의 도출에 부정적으로 작용할 수 있다.

　물론 SNS의 사회적 역할에 대해 긍정적으로 보는 시각도 있다. SNS의 네트워크 기능과 정보 확산 효과로 시민들의 참여가 확대될 수 있다. 먼저 SNS는 시간과 공간, 사회적 계층의 경계를 넘어 다양한 대상과의 소통을 통해 사회적 관계를 확대·심화시킴으로써 새로운 네트워크를 형성하는데 효과적이다. 또한 SNS의 확산은 정보에 대한 접근을 쉽게 하고 다양한 경로를 통해 사회적 쟁점에 대한 참여의 가능성을 높인다. 대구에서 시작되어 전국으로 확산된 국채보상운동이나 맨체스터에서 시작된 투표권 운동이 그러한 예라 할 수 있다.

　그러나 SNS의 확산이 긍정적으로 작용하기 위해서는 개방적이고 포용적인 성격의 사회적 자본이 전제되어야 한다. 배타적이고 폐쇄적인 사회적 자본을 지닌 B국은 SNS의 확대로 사회적 여론이 분열되고 갈등이 심화됨을 잘 보여주는 사례다. 문제는 이러한 B국과 같은 국가가 다수이고 한 사회의 사회적 자본은 쉽게 변화하지 않는다는 점이다. 이러한 현실을 고려할 때 SNS의 확산은 부정적 효과가 더 크다.

(원고지 기준 996자)

[문항 2] <다음> 중 하나의 주장을 택한 후, <조건>에 따라 논하시오. (500자±50자, 40점)

<다 음>

주장 1 : SNS의 확산은 참여 확대 또는 합의 도출에 기여한다.	주장 2 : SNS의 확산은 참여 확대 또는 합의 도출을 저해한다.

<조 건>

1. 제시문 (마)의 <자료 1>과 <자료 2>를 활용하여 자신이 택한 주장에 가장 잘 부합하는 국가를 하나 선택하고, 그 국가를 선택한 이유를 같은 자료를 활용하여 제시할 것.
2. 제시문 (마)의 <자료 3>과 제시문 (가)를 활용하여 선택한 국가의 특징을 분석할 것.
3. 제시문의 문장을 그대로 옮기지 말 것.

'주장 1'를 선택한 경우

　SNS 확산이 참여 확대 또는 합의 도출에 기여한다는 주장 1을 선택한다. 이에 가장 잘 부합하는 국가는 C국이다. 제시문 <마>의 <자료1>을 보면 C, D국은 SNS 확산이 참여 확대에 긍정적인 영향을 끼친 반면, A, B국은 그러한 영향이 나타나지 않는다. 제시문

<마>의 <자료2>를 보면 양 극단의 응답률이 높은 경우 의견이 분열되어 합의 도출이 어려운 상태로 볼 수 있다. 따라서 SNS 확산 이후에 B, D국은 사회적 분열이 심화된 반면, A, C국은 별다른 변화가 나타나지 않는다. 그 결과, 합의 도출에 대한 부정적 영향 없이, 참여 확대라는 긍정적 영향만을 보인 C국이 주장 1에 가장 잘 부합한다. 제시문 <가>에 기반하여 제시문 <마>의 <자료3>을 보면, C국은 결속형 네트워크가 낮고 연결형 네트워크가 높기 때문에 배타적이고 내부지향적이기보다는 포용적이고 외부지향적인 특징을 지닌다. 신뢰의 측면에서는 특정화된 신뢰가 낮고 일반화된 신뢰는 높기 때문에 폐쇄적이기보다는 개방적인 특징을 지닌다.

(원고지 기준 492자)

'주장 2'를 선택한 경우

주장 2(SNS 확산이 참여 확대 또는 합의 도출을 저해한다)를 택하며, 이에 가장 잘 부합하는 국가는 B국이다. 제시문 (마)의 <자료 1>에서 A, B국은 SNS가 확산된 이후 사회적 참여도에 변화가 없는 반면, C, D국은 증가하였다. 제시문 (마)의 <자료 2>는 양 극단의 응답률이 높을수록 합의 도출이 어렵다는 것을 의미한다. 따라서 B, D국의 경우는 SNS 확산 이후 합의 도출이 어려워진 반면, A, C국의 경우는 특별한 변화가 없었다. 이를 종합할 때, SNS 확산이 참여 확대를 가져오지 못한 채 합의 도출에 부정적 영향만을 끼친 B국이 주장 2에 가장 부합하는 국가이다. B국의 특징은 제시문 (마)의 <자료 3>의 내용처럼, 결속형 네트워크는 높은 반면 연결형 네트워크는 낮다. 또한 가까운 지인에 대한 신뢰는 높지만 일반적인 타인에 대한 신뢰는 낮다. 제시문 (가)에 따르면 이러한 B국은 만남의 성격이 배타적이고 내부지향적이며, 자신과 가까운 사람만을 신뢰하는 폐쇄적인 사회적 자본을 가지고 있다.

(원고지 기준 490자)

10. 2020학년도 인하대 수시 논술

[문항 1] A ~ D 중 전략 수립의 모델로 가장 적절한 기업을 선택하고, 다음 조건에 따라 논하시오. (1,000자±100자, 60점)

─< 조 건 >─
1. 선택한 모델의 특징과 선택의 이유를 제시문 (마)를 활용하여 제시할 것
2. 제시문 (가)~(라) 가운데 두 개의 제시문을 활용하여 선택의 합리성을 정당화할 것
3. 제시문의 문장을 그대로 옮기지 말 것

A를 최적 대안으로 선택했을 경우

A기업은 수출대상국과 주력상품 측면에서 나머지 세 기업에 비해 다각화 전략을 취한 것으로 보인다. 제시문 (마)의 <자료 1>을 보면 A, B, C, D 기업은 세계경제위기 발생 3

년 전에 수출대상국 수출비중이 약 50%, 주력 상품 수출 점유율이 60% 정도로 비슷한 전략을 취했다. 하지만 세계경제위기가 발생하기 3년 전, 이들 기업의 주요 수출국 선정과 주력상품의 전략은 달라졌다. 이들 기업의 수출국 선정과 주력상품의 전략 변화 양상을 다각화와 집중화 기준으로 보면, A기업은 다각화-다각화, B기업은 집중-다각화, C기업은 집중-집중, D기업은 다각화-집중으로 구분될 수 있다.

제시문 (마)의 <자료 2>에 따르면, 세계경제위기 발생 이후 B기업이나 D기업은 매출액 증가율이 큰 폭으로 떨어졌으나 A기업이나 C기업은 비교적 안정적으로 유지되었다. A기업은 C기업에 비하여 경제 위기발생 이후에 연평균 매출액 증가율이 0.1% 낮지만, 경제 위기 전까지 추구해온 전략의 성과가 연평균 0.1%씩 높았다. 만약 현실적인 측면을 고려하여 세계경제위기가 자주 발생하지 않는다고 가정하면, 위기 상황이 아닌 시기의 매출액 증가율이 C에 비하여 높으므로 A전략이 더 바람직하다.

다문화주의와 혁신 간 관계나 변칙 현상과 과학 발전의 관계를 고려할 때 기업의 다각화 전략은 매우 합리적임을 알 수 있다. 제시문 (가)에서 볼 수 있듯이 미국의 실리콘 밸리는 이민자의 다양성을 혁신의 원동력으로 삼아 첨단 기술 산업을 주도하고 있다. 만약 특정 인종과 민족을 배제하였다면 현재와 같은 발전을 이룰 수 없었을 것이다. 제시문 (라)에서 볼 수 있듯이 변칙 현상은 기존 이론의 문제점을 알려줌으로써 과학 발전의 원동력이 되기도 한다. 기존 이론만 고수하며 변화를 꾀하지 않았다면 양자역학은 발전하지 못했을 것이다. 서로 다른 관점의 이론이 공존함으로써 과학이 진보하고, 다양한 문화를 융합함으로써 혁신이 이루어졌듯이 기업도 다각화 전략을 통하여 기술을 혁신하여 세계경제위기에 대처할 필요가 있다.

C를 최적 대안으로 선택했을 경우

C기업은 수출대상국과 주력상품 측면에서 나머지 세 기업에 비해 집중 전략을 취한 것으로 보인다. 제시문 (마)의 <자료 1>을 보면 A, B, C, D 기업은 세계경제위기 발생 3년 전에 수출대상국 수출비중이 약 50%, 주력 상품 수출 점유율이 60% 정도로 비슷한 전략을 취했다. 하지만 세계경제위기가 발생하기 3년 전, 이들 기업의 주요 수출국 선정과 주력상품의 전략은 달라졌다. 이들 기업의 수출국 선정과 주력상품의 전략 변화 양상을 다각화와 집중화 기준으로 보면, A기업은 다각화-다각화, B기업은 집중-다각화, C기업은 집중-집중, D기업은 다각화-집중으로 구분될 수 있다.

제시문 (마)의 <자료 2>에 따르면, 세계경제위기 발생 이후 B기업이나 D기업은 매출액 증가율이 큰 폭으로 떨어졌으나 A기업이나 C기업은 비교적 안정적으로 유지되었다. C기업의 경우 A기업에 비해 세계경제위기가 발생하기 전의 매출액 증가율이 0.1%p 낮았지만, 경제위기 전후의 종합적 성과와 경제위기 전후의 성장률 변화는 높았다. 그리고 경제 위기가 발생한 이후에 C기업은 A기업보다 연평균 매출액이 오히려 0.1%p 높았다. 이러한 이유로 A보다는 C의 전략을 취하는 것이 더 낫다고 본다.

집중 전략은 생물종의 진화나 히든 챔피언 기업 전략을 살펴보았을 때도 타당하다는 것을 알 수 있다. 제시문 (나)에서 볼 수 있듯이 생물 종은 주어진 환경에서 살아남기 위해서

불필요한 신체 구조와 활동 양상을 버리고 집중 전략을 취하면서 번영하였다. 이는 개인이나 집단이 처한 환경을 파악하고 핵심이 되는 곳에 역량을 집중해야 한다는 것으로 해석될 수 있다. 제시문 (다)에서 볼 수 있듯이 히든챔피언 기업은 집중 전략을 통해 틈새시장을 공략하고 VIP 고객들을 특별히 관리함으로써 규모는 작아도 세계 최강자에 오를 수 있었다. 따라서 세계경제위기 등과 같은 외부의 위험에 적절하게 대응하기 위해서는 주어진 환경을 철저하게 분석하고 자신이 잘 할 수 있는 특정 분야를 선택해 모든 역량을 집중할 필요가 있다.

[문항 2] 자신의 선택에 대하여 예상되는 반론을 제시하고, 이를 재반박하시오. (500자 ±50자, 40점)

───────────────〈 조 건 〉───────────────

1. 반론의 논거는 제시문 (가)~(라)를 활용하여 제시할 것
2. 재반박에서는 제시문 이외의 논거를 들어 자신의 선택을 옹호할 것
3. 제시문의 문장을 그대로 옮기지 말 것

A를 최적 대안으로 선택했을 경우

 기업전략 설정에서 히든 챔피언 기업이나 생물종의 진화 결과를 사례로 들어 다각화 전략의 문제점을 지적할 수 있다. 제시문 (나)에서 볼 수 있듯이 주어진 환경에서 살아남기 위해서 불필요한 신체 구조와 활동 양상을 버리고 집중 전략을 취한 생물 종처럼 기업이 처한 환경을 파악하고 핵심 부문에 역량을 집중해야 한다는 주장도 있다. 제시문 (다)에서 볼 수 있듯이 특정 분야의 제품 생산에 주력하여 VIP 고객 중심의 마케팅 전략으로 성공한 작지만 강한 기업의 성공사례도 있다.

 그럼에도 불구하고 집중화 전략은 다각화 전략에 비하여 세계경제위기 시에 빠르고 능동적으로 대처하기 어렵다는 점에서 위험성을 내포하고 있다. 특정 제품의 생산에만 집중하다 보면 경제위기시에 직격탄을 맞을 수 있고, 몇몇 나라에 수출을 집중하다가 경제위기 상황에서 수출이 막히게 되면 타격이 클 수밖에 없다. 따라서 경제위기 상황에서는 생산품을 다양화하고 수출대상국을 다변화하는 다각화 전략을 택하는 것이 타당할 것이다.

C를 최적 대안으로 선택했을 경우

 기업전략 설정에서 다문화주의나 과학 발전의 사례를 들어 집중 전략의 문제점을 지적할 수 있다. 제시문 (가)에서 볼 수 있듯이 실리콘 밸리는 이민자의 다양성을 혁신의 원동력으로 삼아 첨단 기술 산업을 주도하고 있다. 만약 특정 인종과 민족을 배제하였다면 이와 같은 발전은 어려웠을 것이다. 제시문 (라)에서 볼 수 있듯이 변칙 현상은 기존 이론의 문제점을 알려줌으로써 과학 발전의 원동력이 되었다. 다른 관점의 이론이 공존함으로써 과학이 진보하고, 다양한 문화가 융합됨으로써 혁신이 이루어졌듯이 기업도 다각화 전략을 통하여 혁신의 가능성을 높일 수 있다.

그럼에도 불구하고 다각화 전략은 집중 전략에 비하여 구성원 간 의견 합치가 어렵다거나 조직이 비효율적으로 운영될 수 있다는 문제점이 있다. 특히 수출 주력 기업의 경우, 세계 경제위기와 같은 외부 충격이 발생할 경우, 신속하고 안정적으로 대응하기 위해서 수출 대상국과 주력 상품 측면에서 집중 전략을 택하는 것이 매우 타당할 것이다.